UNE ÉTRANGE DICTATURE

DU MÊME AUTEUR

Ainsi des exilés, 1970, roman, Gallimard et Folio.
Le Grand Festin, 1971, roman, Denoël.
Virginia Woolf, 1973, essai, éd. Quinzaine littéraire.
Le Corps entier de Marigda, 1975, roman, Denoël.
Vestiges, 1978, roman, Seuil.
La Violence du calme, 1980, essai, Seuil et Points-Seuil.
Les Allées cavalières, 1982, roman, Belfond.
Van Gogh ou l'enterrement dans les blés, 1983, biographie, Seuil et Points-Seuil (Prix Femina-Vacaresco, 1983).
Le Jeu des poignards, 1985, roman, Gallimard.
L'Œil de la nuit, 1987, roman, Grasset.
Mains, 1988, essai, Séguier, et Mille et une Nuits.
Ce soir, après la guerre, 1992, récit, Lattès, Livre de poche et nouvelle édition, 1997, Fayard.
L'Horreur économique, 1996, essai, Fayard (Prix Médicis essai 1996) et Livre de poche.

Viviane Forrester

UNE ÉTRANGE DICTATURE

Fayard

Chaque jour, nous assistons au fiasco de l'ultralibéralisme. Chaque jour ce système idéologique, fondé sur le dogme (ou le fantasme) d'une autorégulation de l'économie dite de marché, démontre son incapacité à se gérer lui-même, à contrôler ce qu'il suscite, à maîtriser ce qu'il déchaîne. Au point que ses initiatives, si cruelles pour l'ensemble des populations, en viennent à se retourner contre lui par des effets de boomerang, tandis qu'il se montre impuissant à rétablir un minimum d'ordre dans ce qu'il persiste à imposer.

D'où vient que ses activités puissent être poursuivies avec la même arrogance, que son pouvoir si caduc aille s'affermissant, et que se déploie toujours davantage son caractère hégémonique ? D'où vient, surtout, que nous ayons l'impression croissante de vivre piégés au sein d'une emprise fatale, « mondialisée », « globalisée », si puissante qu'il serait vain de la mettre en question, futile de l'analyser, absurde de s'y opposer et délirant de seulement songer à se dégager d'une telle omnipotence réputée se confondre avec l'Histoire ? D'où vient que nous ne réagissions pas au lieu de céder, même d'acquiescer en permanence, tétanisés, comme piégés dans un étau, environnés de forces coercitives, diffuses, qui satureraient tous les territoires, ancrées, indéracinables et d'ordre naturel ?

Il serait temps de nous éveiller, de constater que nous ne vivons pas sous l'empire d'une fatalité mais, plus banalement, sous un régime politique nouveau, non déclaré, de caractère international et même planétaire, qui s'est installé au vu mais à l'insu de tous, non pas clandestinement mais insidieusement, anonymement, d'autant moins perçu que son idéologie évacue le principe même du politique et que sa puissance n'a que faire du pouvoir et de ses institutions. Ce régime ne gouverne pas, il méprise, mieux, il ignore ce et ceux qu'il y aurait à gouverner. Les instances, les fonctions politiques classiques, subalternes à ses yeux, ne l'intéressent pas : au contraire, elles l'encombreraient et, surtout, le signaleraient à l'attention, permettant d'en faire une cible, de repérer ses manœuvres, de le désigner comme la source et le moteur des drames planétaires à propos desquels il parvient à n'être pas même mentionné, car, s'il détient la gestion véritable de la planète, il délègue aux gouvernements l'application de ce qu'elle implique. Quant aux populations, seule les lui signale parfois une sensation d'agacement lorsqu'elles se dérobent à la réserve, au mutisme sans faille supposés les définir.

La question n'est pas, pour ce régime, d'organiser une société, d'établir en ce sens des formes de pouvoir, mais de mettre en œuvre une idée fixe, on pourrait dire maniaque : l'obsession d'ouvrir la voie au jeu sans obstacle du profit, et d'un profit toujours plus abstrait, plus virtuel. Obsession de voir la planète devenir un terrain exclusivement livré à une pulsion après tout très humaine, mais que l'on n'imaginait tout de même pas devenue – du moins tenue de devenir – l'élément unique, souverain, le but final de l'aventure planétaire : ce goût d'accumuler, cette névrose du lucre, cet appât du profit, du gain à l'état pur, prêt à tous les ravages, accaparant l'ensemble du territoire ou plutôt l'espace en son entier, non limité à ses configurations géographiques.

L'un des meilleurs atouts, l'une des meilleures armes de cette razzia ? L'introduction d'un terme pervers, celui de « globalisation [1] », supposé définir l'état du monde mais qui l'occulte, en vérité, « englobant » en un terme

1. « Mondialisation », synonyme de « globalisation », n'est employé qu'en France. Il bénéficie d'un petit cachet cosmopolite chic et libéré... tout à fait usurpé. S'il indique bien un caractère hégémonique, il ne sous-entend pas inconsciemment, comme le terme de « globalisation », cette volonté non seulement de conquérir, d'envahir le territoire planétaire, mais d'investir, d'« englober » tous ses éléments physiques ou immatériels. Le terme de « globalisation », d'un usage plus universel, sera privilégié dans le présent ouvrage.

vague et réducteur, sans signification réelle, du moins précise, l'économique, le politique, le social, le culturel, qu'il escamote pour s'y substituer et soustraire ainsi cet amalgame à l'analyse comme aux constats. Le monde réel semble happé, englouti dans ce globe virtuel donné, lui, pour la réalité. Et nous avons l'impression d'être, nous aussi, capturés au creux de ce globe, dans un piège sans issue.

À l'instant, un journaliste expliquait à la radio, à propos d'entreprises annonçant l'une de ces décisions devenues quotidiennes – aujourd'hui, une fusion – qui mènent à des licenciements en masse : « La mondialisation les y oblige... » Ah ! vraiment ? Alors, à quoi bon aller plus loin ? Il ne reste qu'à s'écraser ! Et pour ceux qui manqueraient de promptitude, voici qui va les assommer : « La compétitivité veut que... » Pourtant, « la » mondialisation, ici, ne signifie rien. Ce qui « oblige » à fusionner, et par là à licencier, c'est exclusivement la « nécessité » de faire davantage de profit. On répondra que ce profit est bénéfique, nécessaire à tous, que de la prospérité des entreprises, poules aux œufs d'or, dépendent les créations d'emplois, la diminution du chômage, donc le sort de la plupart. Mais c'est oublier que cette entreprise était déjà prospère tout en employant ceux qu'elle jette à présent. Ce n'est pas son chiffre d'affaires qu'elle désire augmenter, mais, justement parce qu'elle est prospère, le bénéfice qu'elle tire et que tirent ses actionnaires de ce chiffre d'affaires.

Et ce n'est pas en créant des emplois qu'elle y parvient, mais en chassant des employés !

C'est oublier aussi que, dans le monde entier, au son des ritournelles officielles : « Priorité à l'emploi », les entreprises (le plus souvent très bénéficiaires) qui licencient à tour de bras voient aussitôt, *et de ce fait*, leur cote monter en flèche à la Bourse, tandis que leurs décideurs proclament avoir pour mode de gestion favori l'abaissement du coût du travail, soit des licenciements en masse. Voir chaque jour la liste de tels exemples.

Quelques-uns parmi tant d'autres, par exemple en mars 1996 :

Le 7, ATT (géant du téléphone américain), qui avait annoncé, deux mois plus tôt, 40 000 licenciements, voit le montant de la rémunération de son PDG, Robert Allen, publié dans la presse : avec 16,2 millions de dollars, soit environ 81 millions de francs (dont le tiers en stock-options), il a presque triplé depuis l'année précédente. À son score, aucune réalisation de bénéfices, seuls ces 40 000 licenciements...

Le 9, Sony annonce la suppression de 17 000 emplois ; sa cote, dans un marché par ailleurs fort plat, monte le jour même de 8,41, le lendemain de 4,11 points.

Le 11, Alcatel, 15 milliards de bénéfices, annonce 12 000 licenciements, ce qui porte à 30 000 ceux qu'elle aura effectués en quatre ans, et le 19, Deutsche Telekom, privatisée, en annonce 70 000 en trois ans.

Le 25, Akai prévoit 154 à 180 licenciements dans son usine de Honfleur, qui emploie... 484 employés.

Motif : délocalisation en Grande-Bretagne et en Thaïlande.

Le même jour, Swissair ajoute à une première charrette de 1 600 licenciements une nouvelle de 1 200 autres. But : la compétitivité et 500 millions de francs suisses d'économie (2,11 millions de francs français).

France Télécom, 15 milliards de bénéfices, n'embauchera pas, etc.

On voit, d'après ces quelques exemples de pratiques qui se poursuivent, de plus en plus banales, l'incohérence de propositions telles que : l'emploi dépend de la croissance ; la croissance, de la compétitivité ; la compétitivité, de la capacité à supprimer des emplois. Cela revient à dire : pour lutter contre le chômage, rien de tel que de licencier !

« La mondialisation oblige... », « La compétitivité veut que... » : voix divines ! Il ne s'agit plus d'arguments, mais de références à la doctrine, à des dogmes qui n'ont plus même à être énoncés : y faire allusion devrait suffire à annuler toute velléité de résistance. « Globalisation » (ou « mondialisation ») fait partie de ce vocabulaire abondant, composé de termes qui, détournés, matraqués aux fins d'une propagande efficace, ont le don de persuader sans faire intervenir le discours. Leur simple énonciation permet une manipulation magistrale des esprits, car, une fois insidieusement entrés dans le langage courant au point d'être employés même par ceux qui y sont opposés, ils semblent donner pour évident, certain, et d'ailleurs accompli, ce que la propagande veut faire admettre, mais qu'elle serait bien en peine de démontrer. Parmi ces nombreux termes, citons le fameux « marché libre »... de faire du profit ; ces « restructurations » qui signalent des démantèlements d'entreprises ou, du moins, la désintégration de leurs masses salariales ; procéder à des licenciements en masse, c'est-à-dire à une détérioration dramatique de la société, c'est préparer un « plan social ». Nous sommes enjoints de combattre des « déficits publics » qui sont, en fait, des « bénéfices pour le public » : ces dépenses jugées superflues, nocives même, n'ont d'autre défaut que de n'être pas rentables et d'être perdues pour l'économie privée, de représenter alors des manques à gagner pour elle insupportables. Or ces dépenses sont vitales pour les secteurs essentiels de la société, en particulier ceux de l'éducation et de la santé. Elles ne sont pas « utiles » ni même « nécessaires » : elles sont *indispensables* ; d'elles dépendent l'avenir, la survie de toute civilisation.

Mais *le* chef-d'œuvre du genre – un vrai joyau, un triomphe ! –, c'est encore une fois la « globalisation ». Elle couvre de son seul nom, réduit à ce seul mot toutes les données de notre époque, et parvient à camoufler, indiscernable au sein de cet amalgame, l'hégémonie d'un système politique, l'ultralibéralisme, qui, sans être officiellement au pouvoir, a la mainmise sur l'ensemble de ce que les pouvoirs ont à gouverner, et détient donc une toute-puissance planétaire.

C'est bien à partir de ce choix politique, celui d'une idéologie ultralibérale, qu'est gérée la globalisation. Est-ce une raison pour confondre cette dernière avec l'idéologie qui la gère mais ne la constitue pas ? Or, nous faisons cette confusion et conférons ainsi à l'ultralibéralisme le caractère irréversible, inéluctable des avancées technologiques qui définissent la globalisation, et non pas le libéralisme. Nous oublions surtout que la globalisation ne nécessite pas une gestion ultralibérale, et que cette dernière ne représente qu'une méthode (d'ailleurs calamiteuse) parmi d'autres possibles. Bref, la globalisation n'est pas indistincte de l'ultralibéralisme – et vice versa ! Néanmoins, lorsque nous mentionnons l'une, c'est, inconsciemment, à l'autre que nous nous référons, et nous transférons sur ce dernier la notion de fatalité qui sied à la première. Alors que l'ultralibéralisme n'a, lui, rien de fatal.

Ce qui nous est donné et que nous percevons comme le résultat d'une globalisation omniprésente au point de tout investir, n'est que le résultat d'une politique délibérée, exercée à l'échelle mondiale, mais qui, malgré sa puissance, n'est pas inéluctable, prédestinée, mais au contraire conjoncturelle, tout à fait analysable et discutable. C'est elle qui gère la globalisation et lui impose ses diktats. Il s'agit là du choix d'une certaine gestion étroitement liée à cette politique. Mais il existe mille autres modes de gestion possibles et sans aucun doute préférables. Le choix actuel ne constitue en aucun cas, répétons-le, une fatalité.

Ce n'est pas la « globalisation » – terme vague – qui pèse d'un poids inamovible sur la politique, et la paralyse. Au service d'une idéologie, c'est une politique précise, l'ultralibéralisme, qui assujettit la globalisation et asservit l'économie. Il s'agit d'une politique qui ne dit pas son nom, qui ne se propose pas de convaincre, n'appelle à aucune adhésion réelle, n'aspire, nous l'avons dit, à occuper aucun des pouvoirs officiels, et se targue d'autant moins d'énoncer ses principes qu'ils ne visent qu'un seul but, lequel n'aurait guère de chances d'enthousiasmer les foules : obtenir pour l'économie privée des mégaprofits de plus en plus rapides et phénoménaux, et cela à tout prix.

Cette politique inapparente, *corporatiste*, en somme, se contente de consolider, de banaliser les permissivités délirantes, l'anarchie d'un monde des affaires et d'une économie de marché basculés dans une forme d'économie purement spéculative ; de favoriser, de légitimer les dérégulations et autres délocalisations et fuites de capitaux, de jouer sur la sacralisation comme sur le sabotage des monnaies, le braquage des flux financiers, les dynamiques mafieuses. Ainsi s'installe le cadre ou, mieux, l'impasse au sein desquels il ne semble y avoir d'autre issue que de « s'adapter » aux conditions favorables au profit et néfastes au grand nombre. Une impasse au sein de laquelle les politiques affichées, celles qui bénéficient du truchement des pouvoirs officiels, seront dès lors tenues d'organiser cette « adaptation » et de s'en tenir là.

On voit ici comment la globalisation sert d'écran à l'ampleur hallucinante d'une emprise politique – ou plutôt, comment l'ultralibéralisme, idéologie actuellement dominante, base d'un système oligarchique, se pare des habits de la globalisation.

Voilà bien l'imposture ! Car, si la réalité de la globalisation, phénomène historique, est irréversible, puisqu'elle résulte du déroulement d'un passé non modifiable, ses potentialités ne sont pas figées dans un constat du passé ; son avenir est, lui, tout à fait modifiable, et dépend des diverses dynamiques, des différents projets aptes à la mobiliser, mais surtout de la gamme variée des politiques susceptibles de la gérer. L'ultralibéralisme, l'un de ses gestionnaires possibles, sans plus, n'est pas identique au phénomène dont il tente d'usurper les caractéristiques, afin de passer lui-même pour irréversible et incontournable, en sorte de figer l'Histoire (ou de la faire croire figée) dans l'époque actuelle – celle de sa prédominance, de son omnipotence – qui, normalement, ne devrait figurer qu'une péripétie, un épisode de l'Histoire, promis, comme d'autres le furent et le seront après lui, à une plus ou moins longue durée. En vérité, loin d'être synonyme de ce phénomène historique, le libéralisme s'y inscrit comme un simple élément voué, au même titre que d'autres, à la probabilité d'être transitoire.

Il n'en parvient pas moins à faire passer un système idéologique précis et ses pratiques intentionnelles pour des phénomènes naturels, aussi irréversibles, intraitables que le Big Bang, et auxquels on ne saurait s'opposer davantage qu'aux marées, à l'alternance des jours et des nuits, au fait que nous sommes tous mortels. La question n'est plus alors d'être ou non d'accord avec l'ultralibéralisme qui, désirable ou déplorable, sous le masque de la globalisation, passe pour un fait établi vers lequel aurait toujours tendu l'Histoire. S'insurger ? L'inconvenant le disputerait au grotesque ! Qui oserait refuser les technologies de pointe, les échanges en temps réel, tant d'autres avancées réellement prodigieuses qui lui sont, à tort, attribuées d'office ? Comment s'avouer aveugle au point de ne pas admettre que ce sont là les constituants mêmes de notre Histoire ?

Or, ces progrès des technologies de pointe sont inséparables de la globalisation, mais non de l'idéologie qui prétend se confondre avec elle. Si ces technologies ont permis au libéralisme de triompher, elles en sont tout à fait distinctes. C'est lui qui dépend d'elles, les utilise, les manipule ; elles ne dépendent ni ne proviennent de lui, et pourraient fort bien en être dissociées sans se trouver le moins du monde altérées. Au contraire, elles seraient ainsi disponibles pour de nouveaux usages au lieu d'être confisquées ; elles auraient alors, enfin, la faculté de devenir bénéfiques au grand nombre, au lieu de lui être funestes.

Ultralibéralisme et globalisation ne sont donc pas synonymes.

Lorsque nous croyons mentionner la globalisation

(définition passive et neutre de l'état du monde actuel), c'est presque toujours de libéralisme (idéologie active, agressive) qu'il est question. Confusion permanente qui permet de faire passer tout refus de ce système politique, de ses opérations et de leurs conséquences, pour celui de la globalisation et de l'amalgame sur lequel elle repose, lequel inclut les progrès de la technologie. Les chantres du libéralisme ont alors beau jeu de réfuter d'un haussement d'épaules ou d'une expression goguenarde leurs opposants, de les donner pour des ringards affligeants qui, vautrés dans le ridicule, avachis dans l'archaïsme, s'obstinent à nier l'Histoire et à renier le Progrès.

Ruse essentielle, stratagème de ce vocabulaire biaisé, très étendu et qui le devient chaque jour davantage encore, et où figure le terme « globalisation » : on en vient à confondre les prodiges des nouvelles technologies, leur irréversibilité, avec le régime politique qui les utilise. Comme s'il allait de soi que l'immense potentiel de liberté, de dynamisme social, offert à l'ensemble des humains par des recherches, des inventions, des découvertes de pointe, en soit venu à se transformer en désastre et en l'enfermement de cet ensemble humain au creux de ce désastre.

On en vient, par ailleurs, à conférer la pérennité de l'Histoire à ce qui n'en est qu'une péripétie. Or, l'Histoire est en permanence véhicule de mouvement ; c'est cette mobilité perpétuelle qui la définit ; elle ne saurait donc être à jamais fixée sur l'un de ses épisodes. Ne l'oublions jamais : nous ne vivons pas la « fin » de l'Histoire. Même si nous persuader du contraire fait partie de stratégies contemporaines, nous vivons à même ses plus vives effervescences, qui n'accompagnent plus des crises de société, mais la mutation d'une civilisation jusqu'ici fondée sur l'emploi, lequel est en contradiction avec l'économie spéculative aujourd'hui dominante. Ce qui implique et le chômage et des ersatz d'emplois, des salaires gelés ou à la baisse, et surtout ceux, nombreux, qui ne sont que des pseudo-salaires et ne permettent pas de vivre. Tels sont les résultats d'acharnements à réparer les statistiques, mais non la vie sociale qui repart chaque fois de plus bas, un peu plus officieusement détériorée.

Au lieu d'assumer le deuil d'une société révolue, afin de pouvoir instaurer celle où nous vivons sur des bases autres, chacun, bénéficiaire ou victime, tend à l'éviter. Il n'en est que plus facile à la propagande d'entretenir cette conviction d'ordre religieux, selon laquelle nous serions paralysés, piégés sans recours, sans retour, à jamais détenus au creux d'un globe sans faille, comme si tout était joué déjà, comme si toute velléité de résistance ne pouvait déboucher que sur des fanfaronnades locales, donquichottesques, bravaches et surtout inutiles. Comme s'il ne nous restait qu'à nous débattre en vain, prisonniers de structures impérissables, de déstructurations sans limites, avec cette impression de « trop tard » qui nous est en permanence suggérée. Comme si toutes les issues étaient verrouillées et donnaient d'ailleurs sur d'autres clôtures plus définitives encore.

Propagande efficace, car si nous ne sommes pas assez conscients du joug sous lequel la planète est tenue, peut-être que, ne le prenant pas en compte avec lucidité, nous le fantasmons d'autant mieux, sans l'analyser, et cédons à une impression d'impuissance devant ce que nous avons le tort d'imaginer trop lourd, inexpugnable, à jamais établi.

Certes, nous vivons à l'heure du triomphe ultralibéral, peut-être d'autant plus triomphal qu'il accompagne ses propres déconfitures, elles-mêmes incapables de l'ébranler ; d'autant plus triomphal que les ravages dus à ses ratages semblent nourrir mieux encore son arrogance et confirmer le succès de ses visées réelles, ainsi démontrées et dénoncées.

Certes. Mais une telle victoire n'est jamais définitivement établie, moins encore garantie. Combien d'empires, de régimes, en apparence bétonnés, se sont effondrés, qui se croyaient inébranlables et le paraissaient ! Il est vrai qu'ils étaient perçus sous leur jour véritable : celui de régimes politiques que l'on pouvait donc affronter. La force du régime actuel, d'envergure mondiale, tient à ce qu'il s'exerce anonyme, *imperceptible*, par là intouchable et d'autant plus coercitif. Pour nous en libérer, l'urgence est de le faire *apparaître*.

Aujourd'hui, savons-nous seulement sous quel régime nous vivons en ces heures de politique unique, mondialisée ? Percevons-nous qu'il s'agit bien là d'un régime politique, et de quelle politique il s'agit ? Nous demandons-nous quel rôle peut encore prétendre jouer la pluralité de formations diverses, indispensables à la démocratie, alors que règne, de plus en plus ouvertement imposée, une affirmation péremptoire, qu'il serait blasphématoire de seulement discuter, selon laquelle l'économie de marché représente le seul modèle de société possible ?

« Il n'y a pas d'alternative à l'économie de marché » : un diktat non seulement débile, mais désormais dénué de fondement, car l'économie de marché recouvre une économie purement spéculative qui la supplante et la détruit comme elle détruit le reste ! N'en serait-il rien, prétendre qu'il existe un seul modèle de société, sans alternative, est non seulement absurde, mais d'ordre stalinien. Et cela, quel que puisse être le modèle proposé. Quel que puisse être ce modèle, il s'agit là d'un discours dictatorial qui, pourtant, détermine l'espace où nous sommes aujourd'hui confinés. Un espace qui ne nous semble plus dépendre d'aucun régime, aucun ne semblant avoir résisté à une souveraineté dite « économique » dont tout concourt à nous persuader qu'elle règne seule et qu'elle seule nous accable, l'économie ayant fini par triompher du politique.

Ce qui est faux.

L'économie n'a pas triomphé du politique. C'est le contraire qui est vrai.

Si la globalisation semble être si généralement, si spontanément associée à l'économie et non au politique, ce n'est pas d'économie qu'il est alors question, mais du monde des affaires, celui du *business*, lui-même passé à la spéculation.

Et c'est bien, en revanche, une certaine politique, l'ultralibéralisme, qui tente ainsi – pour l'heure avec succès – de s'affranchir de toute préoccupation économique véritable, de dévoyer le sens même du terme « économie », jusqu'ici lié à la vie des populations, à présent réduit à ne plus définir qu'une course au profit.

Nous n'assistons pas à la mainmise de l'économie sur le politique, mais, au contraire, à la relégation du concept même d'économie, auquel une certaine politique s'applique à substituer les diktats d'une idéologie : l'ultralibéralisme.

L'apparente disparition du politique provient, en fait, d'une volonté politique exacerbée qui réclame, au contraire, une exaspération de cette activité. Volonté, activité politique au service de la toute-puissance de l'économie privée, qui, sous l'étiquette chaste et rassurante d'« économie de marché », sert d'écran à une économie dominante, de plus en plus purement spéculative, vautrée dans une économie de casino, indifférente aux actifs réels.

Une économie virtuelle qui n'a d'autre fonction que de faire le lit de la spéculation, de ses profits issus de « produits dérivés », immatériels, où l'on négocie ce qui n'existe pas. Achat, par exemple, des risques virtuels liés à un contrat même au stade du projet, puis sur les risques pris par l'achat de ces risques, lesquels incluent eux-mêmes, chacun, mille et un autres risques toujours virtuels qui sont à leur tour l'objet d'autres spéculations toujours virtuelles – paris et paris sur ces paris, devenus les objets « réels » des marchés...

C'est à de tels jeux incontrôlables qu'aboutit l'économie actuelle, supposée être « de marché » : à spéculer sur la spéculation, sur des « produits dérivés » issus eux-mêmes d'autres produits dérivés, et sur des flux financiers pourtant vitaux, sur les variations des taux de change présumés, sur des circulations manipulées, trafiquées, comme encore autant de produits dérivés et tout aussi factices. Une économie anarchique, mafieuse, qui se répand et s'incruste par le biais d'un alibi : celui de la « compétitivité ». Une pseudo-économie basée sur des produits sans réalité, qu'elle invente en fonction du jeu spéculatif, lui-même clivé de tout actif réel, de toute production tangible. Une économie hystérique, inopérante, fondée sur du vent, à des années-lumière de la société, et, par là, de l'économie réelle, car celle-ci n'existe qu'en fonction de la société, n'a de sens que liée à la vie des populations.

Exemple d'une telle éviction de l'économie véritable et de cette arrogante inefficacité : le triomphal « miracle asiatique » tant célébré, tant exhibé comme preuve indiscutable du bien-fondé ultralibéral. Et sa déconfiture. La conversion brutale du « miracle » en consternant fiasco.

Scénario désormais classique : on a prétendu exporter un système économique sans tenir compte des populations des deux bords, et en fonction du seul profit. D'où l'implantation brutale, à caractère colonisateur, dans des régions incompatibles, de marchés avides de coût du travail à l'aune d'aumônes, d'absence de toute garantie du travail et de toute forme de protection sociale, jugées « archaïques ». Des marchés avides de cette « liberté » tant prônée par les adeptes du libéralisme ; une « liberté » qui permet de supprimer celle des autres en donnant à quelques-uns tous les droits sur le plus grand nombre. Une « liberté » qui autorise en certaines régions du globe ce qu'interdisent ailleurs ces progrès sociaux qualifiés d'« archaïsmes ».

Résultat : des profits fulgurants en un temps record, et, en un temps record, la déroute absolue, l'effondrement piteux de cette apothéose asiatique, de ce modèle exemplaire du rêve libéral. Demeurent de gigantesques mégapoles arrogantes et vides, incongrues en ces lieux, et la misère aggravée des populations. Tandis que les champions de cette épopée, inaptes à contrôler le désastre ou même à le comprendre, indifférents aux peuples sacrifiés, ne s'inquiétaient plus que de rafistoler des cours financiers aux caprices ingérables. Et de fuir ou d'acquérir en solde les quelques restes de ces pays bradés.

Une fois encore, l'ultralibéralisme a prétendu faire de l'économie, et n'a fait que des affaires. Il a prétendu faire des affaires et n'a fait que de la spéculation.

On connaît les conséquences. Elles étaient prévisibles.

Mais nous ne nous limitons pas à confondre l'économie avec les opérations de *business*, ou le *business* avec la spéculation, ou encore la mondialisation avec sa gestion ultralibérale : nous confondons l'escamotage de l'économie avec celui du politique. Surtout, nous confondons les pouvoirs politiques avec la puissance économique. Nous échappe alors le fait que si cette puissance-ci neutralise ces pouvoirs-là, cela ne signifie pas que ces derniers aient disparu, mais que la première se les est annexés et gouverne à leur place. Sans se soucier d'économie réelle, seulement de flux financiers en folie.

Qu'est-ce que l'économie ? L'organisation, la répartition de la production en fonction des populations, de leur bien-être ? Ou bien l'utilisation ou la mise au rancart des populations en fonction de fluctuations financières anarchiques, sans lien avec elles, mais exclusivement liées au profit, et à leur détriment ? Sommes-nous là dans une économie véritable ou, au contraire, dans sa négation ?

C'est à partir de telles confusions, de tels leurres que peut se déployer, inaperçue comme elle s'applique à l'être, une politique destructrice des autres politiques et qui, les ayant toutes neutralisées, s'y étant substituée, peut prétendre qu'il n'en demeure aucune, pas même celle qu'elle incarne et qui règne alors, unique et dissimulée, sans craindre d'opposition.

Neutraliser ainsi la politique provient manifestement d'une détermination politique exacerbée que seules une action politique, une propagande exaspérées peuvent faire parvenir à son but, celui d'un régime unique, donc totalitaire, régnant sur une vacuité politique. Toute forme de politique étant alors embrigadée dans la soumission à des faits accomplis, ou prétendus tels, qui deviennent ainsi le point de départ non mentionné, supposé évident, de toute mesure, de tout engagement, de toute initiative, bref, de tout l'engrenage.

Un régime autoritaire capable d'imposer des coercitions réclamées et permises par sa puissance financière, sans mettre en avant le moindre appareil, les moindres effets qui pourraient laisser soupçonner le système despotique mis en place pour implanter son impérieuse idéologie. Une politique qui se réclame du « réalisme » tout en faisant régner la plus stupéfiante indifférence à la réalité.

Une politique unique, prête au divorce d'avec la démocratie, mais pour l'heure assez puissante telle quelle pour n'y avoir pas intérêt. Une politique ? Un nouveau régime plutôt, camouflé derrière de prétendues fatalités économiques, et d'autant moins perçu par la société que celle-ci respire et circule toujours dans un climat, un décor et des structures démocratiques. Ce qui n'est pas rien, loin de là, et qu'il faut préserver à tout prix pendant qu'il en est encore temps, afin de nous délivrer de ce régime, de cette étrange dictature qui estime pouvoir se permettre le luxe, tant elle est puissante, de supporter un cadre démocratique.

L'urgence ? S'extirper du carcan des propagandes. Avoir la patience de repérer les fausses questions qui masquent les vrais problèmes. Refuser de tripoter, sous le contrôle de ceux qui les exploitent, les données dépassées qu'ils mettent en avant et de jouer ainsi, avec eux, le jeu que l'on combat ; et ne pas tomber, sous prétexte de trouver à la hâte et à tout prix des solutions, dans le piège qui fait choisir celles prévues et dictées par l'adversaire.

Priorité, donc, au refus de se laisser fasciner par ces questions trafiquées, sans fin ressassées, qui occultent la réalité – et d'abord au fait que tenir ces questions pour valables, et pour les seules valables, fait partie du problème. Parfois le constitue.

Demeurer dans l'ignorance des vrais problèmes, de leurs données véritables, ne laisse d'autre issue que de les subir sur le mode choisi par ceux qui les ont créés et qui s'assurent ainsi de leur perpétuité. Or, nous débattons et nous nous débattons en fonction de ces versions frelatées, redondantes, présentées par ceux qui ont intérêt à censurer les origines de la situation et qui les remplacent par leurs propres conclusions, sous forme de postulats. De sorte que c'est à partir de ces postulats que seront désormais considérés des problèmes... désormais escamotés. L'un de ces postulats, sans nul doute l'essentiel, décrète la priorité du profit ; la suprématie de ce dernier est supposée aller de soi, au point que, toujours prépondérant, il ne sera jamais mentionné. Il ne sera plus question de lui, mais, à tout propos et en toute circonstance, devront être obtenues les conditions qui le favorisent ; elles seront données pour indispensables à d'autres causes, celles, précisément, que ces conditions mêmes dégradent, comme la cause de l'emploi.

Tout problème ayant pour origine le profit sera résolu en partant du dogme de sa nécessité et de l'assertion établissant que l'ensemble des populations dépend de lui et tire profit des profits sans mesure allant à quelques-uns, sans lesquels il connaîtrait sa perte. On imagine quel travail de propagande insidieux et persistant peut seul parvenir à créer et enraciner de tels réflexes conditionnés ! Le profit n'est jamais exposé, ou alors jouant un rôle altruiste, providentiel (envers ceux qu'il perd en vérité). Il n'est jamais débattu, jamais mis en cause, alors que tout est mobilisé pour aller et abonder dans son sens.

Nous vivons ligotés au sein de ce non-dit, d'une politique entièrement liée à ce non-dit prépondérant, tacitement accepté, à des logiques d'autant plus imparables qu'elles en découlent et n'ont pas à être démontrées. La source de ces problèmes ainsi esquivée, nous ne percevons que leurs conséquences, celles que, précisément, nous contestons ; ces conséquences deviennent nos seules références, et, désormais, ces fameux « faits accomplis » dont nous pourrions seulement, à la rigueur, critiquer le fonctionnement. Ceux-là mêmes qui déplorent ces conséquences doivent les tenir pour regrettables, mais inévitables, puisqu'elles proviennent de ce non-dit tenu pour définitivement acquis, inébranlable. Sacré. Des prémisses hors d'atteinte.

Les questions posées à l'origine font place à celles dictées par la politique même que l'on projetait de mettre en cause ; elles se limiteront désormais au domaine à l'intérieur duquel il n'est d'autre solution que de reconduire (souvent d'accentuer) ce qui a déterminé des problèmes qui n'auront pas même été posés et auxquels il ne restera plus qu'à s'adapter, passifs.

S'adapter ! Consigne générale ! S'adapter encore et toujours. S'adapter au fait établi, aux fatalités économiques, aux conséquences de ces fatalités, comme si la conjoncture était en soi fatidique, l'Histoire conclue, l'époque à jamais bloquée. S'adapter à l'économie de marché, sous-entendu : à l'économie spéculative. S'adapter aux effets du chômage, soit à son exploitation éhontée. S'adapter à la globalisation, soit à la politique ultralibérale qui en a la gestion. S'adapter à la compétitivité, soit au sacrifice de tous en vue d'obtenir la victoire d'un exploiteur sur un autre exploiteur, l'un et l'autre participant du même jeu. S'adapter à la lutte contre les déficits publics, soit à la destruction méthodique des infrastructures essentielles et à la suppression programmée des protections sociales et des acquis sociaux. S'adapter aux dérégulations économiques, qui soulignent une révolution réactionnaire et régressive, et que l'on peut même qualifier d'insurrectionnelles, mais qui, fort tranquillement, se sont installées, officielles, admises ou même encouragées, alors qu'elles annulent toute loi faisant barrage au bon plaisir spéculatif ; alors qu'elles violent impunément des lois garantes de certains freins à l'injustice et sans lesquelles triomphe la tyrannie. S'adapter au cynisme des comportements mafieux autorisés, devenus mieux (ou plutôt : pires) que familiers : traditionnels. S'adapter ainsi aux délocalisations, aux fuites de capitaux, aux paradis fiscaux, aux dérégulations anarchiques, aux fusions ogresses, aux spéculations criminelles, acceptés comme la moindre des choses, comme répondant à des lois naturelles contre lesquelles il serait futile de se dresser. S'adapter, cela va de soi, aux arrogances de l'incompétence, à ses souverainetés de droit divin. S'adapter... mais plusieurs pages ne suffiraient pas à dresser cette liste.

S'adapter, en fait, à ce climat de sourde coercition où l'on ne peut lutter qu'à partir du renoncement à ce qui fait l'objet de la lutte, à ce qui constituait son origine et qui, par un tour de passe-passe, semble au contraire admis comme étant devenu le but général, le postulat majeur inscrit à l'arrière-plan, inexprimé mais implicitement désirable et légitime – tenu pour incontournable, en tout cas. Il ne reste plus, dès lors, qu'à admettre les réponses matraquées par ceux qui refusent d'admettre les questions.

Le profit, qui est le nerf, qui est au cœur de toute mise en accusation du système actuel, est en permanence évité, résolument oublié, au point de n'être jamais évoqué, son escamotage même passant inaperçu. Son procès, pourtant essentiel, n'est donc jamais amorcé ni même envisagé. On peut dire du profit qu'il est non seulement occulté, mais scotomisé[1]. On peut dire aussi que, telle *La Lettre volée* d'Edgar Poe, il est sans doute trop évident, trop en évidence pour être perçu, et devient d'autant plus apte à se déchaîner, à demeurer le nœud indécelable, inconsciemment admis et cyniquement licite de la situation.

Il est le principe même à partir duquel, autour duquel et au bénéfice duquel opère tout le système actuel, sans qu'il en soit jamais fait état, *a fortiori* sans que cela soit jamais mis en question. Il ne s'agit donc plus de faire face à la situation historique en cours, qu'il active et domine, dont il est le noyau invisible, sacré, mais de « faire avec » les méthodes qui exploitent cette situation

1. Scotomisé : « Inconsciemment exclu du champ de la conscience » *(Le Petit Robert)*.

à son profit : au profit du profit. Il ne s'agit plus que de s'accommoder du régime planétaire en permanence agencé autour de ce profit officieusement reconnu comme licite, prioritaire, détenteur de tous les droits et régisseur en amont de toute la scène mondiale.

Difficile, cependant, hormis pour un petit nombre, d'imaginer le profit, ce facteur si piètre, si piteux – tel qu'il est pratiqué –, devenu le moteur, et qui se veut unique, du miracle qu'est l'existence ! À la réflexion, cela paraît si dérisoire, trop puéril pour être vrai. Rien de plus réel, néanmoins. C'est bien cet effet de drogue, d'inassouvissement, de rivalités personnelles à des niveaux anecdotiques, de course à des possessions de plus en plus virtuelles, c'est cette voracité maniaque, avide de superflu, qui massacrent le sens d'une telle multitude de vies et créent cette souffrance indicible qui accapare, altère, détruit une telle masse de destins, chacun d'eux vécu par une personne unique, par une conscience unique, à vif, chaque fois.

C'est donc une idée fixe, issue d'une pulsion atavique axée sur la possession, sur l'accumulation des biens, qui règne, mais aujourd'hui décalée, car elle n'est plus liée, comme naguère, à des possessions tangibles, à des opérations sous-tendues par des actifs réels ou même symboliques, mais aux fluctuations virtuelles de la spéculation, de ces paris hallucinants.

De nos jours, la richesse ne réside plus dans la possession d'espèces palpables, tels l'or ou même la monnaie[1] : elle a dévié, désormais mouvante, immatérielle, et s'agite, abstraite, furtive, dans les interstices des transactions spéculatives, à même leur volatilité. Elle provient des flux spéculatifs bien plus que des objets de la spéculation. C'est cette avidité, tendue vers des frénésies virtuelles, qui engendre la dévoration instituée de tous et de tout par quelques-uns, et qui se veut universelle, autonome, dégagée de tout contrôle, tout en se révélant inapte à même se maîtriser.

C'est cette obsession sourde, débouchant sur des opérations délirantes, qui entend conduire le destin de la planète et qui menace ce destin ! Un désir brut, primaire, irraisonné, de jouer non tant avec des possessions qu'avec l'instinct de possession, au détriment de tout ce qui s'y oppose ou risque de l'atténuer.

La dictature du profit, qui mène à d'autres formes de dictature, s'installe avec une déconcertante facilité. Ses moyens sont d'une telle simplicité ! Le plus indispensable d'entre eux, la clandestinité, lui est par avance accordé : même si le profit est à la clé de tout, s'il est omniprésent, sa présence demeure toujours officielle-

1. La monnaie même, palpable, apparente, tend à disparaître. On ne la verra bientôt plus que dans les sébiles. La taille des cartes de crédit demeure identique, quel que puisse être le montant des sommes qui transitent par elles. La quantité n'apparaît plus, ni le poids. Qu'est devenue la cassette d'Harpagon ? Il ne quitterait pas son ordinateur, aujourd'hui. En tirerait-il autant de jouissance ? Peut-être plus ! Mais d'une autre nature. Encore que ses nouvelles manies d'ordre spéculatif ne seraient pas plus productives que l'or remplissant autrefois sa cassette.

ment absente. Sans doute est-elle considérée comme une fois pour toutes acquise, enregistrée et si banale, en fait, qu'y faire allusion serait superflu, mais serait surtout tenu pour primaire, archaïque et sordidement plouc, tendance sous-marxisme antédiluvien.

Le droit au profit, toujours à l'arrière-plan, clandestin, est en permanence sous-entendu, mais sous-entendu... comme définitivement entendu, comme absolu, irréfutable, en somme de droit divin. Tandis que, toujours affublé du rôle – le seul qu'il accepte – de source indispensable d'abondance et d'emplois, ce profit semble ne répondre qu'aux exigences du devoir, mieux, n'être voué qu'à des sacrifices modestes et silencieux. Anonymes, pudiques, ceux qui en profitent avec tant d'abnégation veillent à n'être jamais cités. La plus grande discrétion les entoure, tandis qu'en revanche sont dénoncés comme les véritables profiteurs, et livrés à la vindicte générale, ces m'as-tu-vu sans vergogne, ces accapareurs notoires : les employés du secteur public et leurs privilèges scandaleux, ou bien encore les chômeurs, ces fainéants, vampires de la nation, honte des statistiques, qui narguent le citoyen laborieux et se vautrent, aux frais de la princesse, dans la sécurité de leurs allocations. À part les immigrés qui nous dépouillent, on ne signale guère d'autres bénéficiaires du profit, lequel ne répond d'ailleurs plus au nom de « profit », moins encore de « bénéfice », mais à celui de « création ».

Et voici venir les fameuses « créations de richesses »,

présumées offrir d'emblée leurs trésors à l'humanité entière. Avec quelle satisfaction, quelle gratitude, quelle admiration elles sont évoquées, merveilles surgies grâce à leurs « créateurs », ces dirigeants de l'économie privée, soudain travestis en magiciens ! On songe à la baguette de la fée, à la caverne d'Ali Baba. Or, de quelles richesses s'agit-il ? D'un enrichissement du genre humain ? De progrès scientifiques, sociaux ? D'œuvres majeures ? D'objets essentiels, précieux ou de grande utilité ? Non, mais de bénéfices tirés d'une production supposée rentable. De rien d'autre. « Richesses » réelles, mais enrichissant les seuls « entrepreneurs » et leurs actionnaires. « Créations de bénéfices » serait mieux approprié.

Au moins, ces bénéfices se traduiront-ils en emplois ? Ces « richesses » seront-elles réparties ? C'est ce qui est spectaculairement et sans cesse annoncé. Mais cette vocation-là est bel et bien dépassée : les entreprises les plus bénéficiaires licencient à tour de bras ; leurs décideurs ont un penchant irrésistible, une préférence indéfectible pour l'abaissement du coût du travail. Pourquoi investir dans l'emploi ? Licencier est plus avantageux. Nous l'avons vu, la Bourse adore. Et ce qu'elle adore fait loi.

C'est donc la spéculation, masquée mais nourrie par les marchés, qui l'emporte et domine. Nous avons vu qu'à partir de ces « richesses » ou de leur seul projet, de leur seule hypothèse, mille et une spéculations délirantes pourront se démultiplier, indifférentes à toute production autre que celle de circulations fantasmées, affolées, dissociées de la société et de toute « richesse » autre que néo-financière. « Richesses » aussi virtuelles que volatiles, spéculations ou plutôt paris démentiels qui sous-tendront ce que l'on continuera de tenir pour l'Économie, laquelle sera toujours intitulée « économie de marché » – une pseudo-économie, en fait, située à des galaxies de la sphère des richesses tangibles ou mentales auxquelles rêvent à juste titre les populations, et qui leur sont, elles, nécessaires.

Si ces « richesses » réclament de moins en moins de labeur humain, proviennent de moins en moins d'actifs réels et s'y investissent de moins en moins, leurs « créateurs », ces décideurs de l'économie privée ou ces spéculateurs (ce sont souvent les mêmes), n'en sont pas moins toujours censés faire surgir, pour le bien de tous, des trésors supposés recéler une manne d'emplois et, comme un fleuve se jette dans la mer, aller nourrir les entreprises. Les officiels de tous bords et de tous pays célèbrent ces bienfaiteurs comme les « forces vives de la nation », seules à faire preuve de « dynamisme », d'« audace » et d'« imagination » au sein de populations supposées placides et satisfaites, assises sur la sécurité de leur RMI, leurs allocations de chômage, leurs salaires au rabais, tandis que nos « forces vives », intrépides, « osent » seules « prendre des risques ».

Quels risques ? pourraient oser demander quelques mauvais esprits. Celui de faire des bénéfices encore plus colossaux ? Ou même – on frémit ! – un peu moins colossaux ? Ce serait oublier les risques pris par ces perles de la nation lorsqu'elles délocalisent leurs entreprises précisément hors de la nation, ou font fuir loin d'elle leurs capitaux !

Ce serait oublier aussi le risque pris de gâcher le destin du plus grand nombre d'autres créatures terrestres et de saboter leurs seules vies de vivants, de les maintenir dans l'angoisse et l'humiliation, risque allant même, à l'occasion, jusqu'à les mettre à la rue, littéralement, à les mettre en danger, à les faire basculer dans ce danger. Ce serait oublier encore le risque pris, dans un même élan créateur, de généraliser la misère, de générer des enfers terrestres. Mais ce sont là autant de défis devant lesquels nos généreux croisés de la création ne reculent jamais. Ils assurent...

Loués soient-ils, chevaliers de la compétitivité, champions de l'autorégulation, de la dérégulation, dont nous pouvons chaque jour bénir la compétence ! À ses « forces vives », la nation reconnaissante...

Profit ? Vous avez dit profit ?

Ainsi la clandestinité du profit, son autorité, son bien-fondé n'ont plus à être établis : ils sont d'avance convenus, agencés, et d'avance tus. Le profit, partout sous-jacent, est cependant partout inexprimé, partout ignoré, *mais* partout infiltré, opérationnel au cœur de toutes choses – et consenti sans qu'aucun acquiescement conscient n'ait été formulé ni même requis. Il domine, tel un principe sacré, et règne, jamais évoqué, mais raison d'être de l'idéologie qui sous-tend le régime et ses obsessions.

Un exemple de ces dernières ? La compétitivité. Parmi les assertions assénées comme autant d'arguments définitifs, prononcés sur un ton péremptoire, avec la certitude d'avoir pour soi un acquiescement général, à jamais acquis à des conclusions jamais vérifiées, elle est l'une des plus souvent citées – assez nonchalamment d'ailleurs, et comme en passant, tant son existence, son influence et ses conséquences présumées semblent entérinées de longue date.

« La compétitivité oblige... », « La compétitivité ne permet pas... ». Combien de charrettes de licenciés, de délocalisations d'entreprises, de baisses ou de gels de salaires, de réductions d'effectifs, de saccage des conditions de travail, combien de décisions désastreuses et perverses ont prétendu se justifier ainsi ! Et que de voix désolées pour exprimer alors les regrets d'avoir eu à décréter, d'avoir dû prendre les décisions-couperets qu'exige, hélas, la compétitivité !

Mais que représente-t-elle ? La question n'est jamais posée. Qui est en compétition ? De quelles luttes s'agit-il ? De quelles rivalités ? Quels en sont les enjeux ? Quelle en est la puissance ou la nécessité pour qu'elle bénéficie d'une telle autorité, pour qu'elle soit donnée à la fois comme fatale, inéluctable et comme un facteur clé de l'économie de marché, elle-même avancée et exigée comme preuve indispensable de démocratie ? Quelle est sa vertu pour que son rôle, d'avance établi comme prépondérant, ne soit jamais explicité, jamais analysé, et pour que la mentionner suffise à prévenir ou à clore toute discussion, toute interrogation ? Pour que tout doive être conçu, organisé ou réformé en fonction d'elle, sans qu'il soit jamais question de la mettre en question ? Pour que nous soyons laissés dans le vague et trouvions normal d'y demeurer, d'admettre machinalement la compétitivité comme une fin en soi, une entité face à laquelle il n'est d'autre réaction possible que de s'y soumettre ? Et pour qu'en fin de compte cette seule certitude soit proposée – imposée, plutôt – comme évidente, indiscutable : il est impératif d'accepter d'y être sacrifiés. Mais, encore une fois, pourquoi et à quoi ? Dans quel but ?

Une bataille de titans semble être en cause, un gigantesque maelström de firmes et de pays qui s'affrontent, mais autour de quel enjeu ? Autour d'intérêts ou de sentiments patriotiques ? Non : les entreprises citées participent le plus souvent de sociétés transnationales, parfois de groupes compatriotes qui peuvent n'en être pas moins affiliés chacun à quelque multinationale, et rivaliser entre eux. Il peut s'agir aussi de sociétés rivales au sein d'un même groupe. D'ailleurs, la nature de la rivalité entre les compétiteurs n'est guère précisée ou commentée : une seule entreprise est mise chaque fois en évidence, celle qui doit prendre des mesures contraires à l'intérêt général, mais indispensables à la compétitivité. Lorsqu'il s'agit de prôner et de promouvoir des mesures politiques d'envergure générale prenant prétexte de *la* compétitivité, aucune firme n'est citée, aucune information avancée quant aux enjeux : l'autorité du terme suffit. Les sociétés en question se perdent alors dans une nébulosité sans faille au sein d'une compétitivité des plus floue où l'imprécision le dispute à l'opacité.

S'agirait-il alors d'améliorer, de stimuler la condition humaine, en particulier celle de l'emploi ? Non plus. C'est très souvent au nom de la compétitivité que se déchaîne l'acharnement à sacrifier des emplois, et l'on trouve volontiers en elle prétexte à la suppression d'acquis sociaux, à la détérioration des conditions de travail, à des fermetures d'entreprises, à la multiplication, la poursuite et l'intensification de mesures tout aussi négatives.

Serait-ce donc pour en finir avec cette compétitivité lassante, qui ne représenterait qu'une simple phase, une crise, et pour la dépasser ? Faudrait-il lui fournir des sacrifices afin de l'apaiser, de l'épuiser ? Faudrait-il aider systématiquement l'une des sociétés rivales à gagner, afin de résoudre et de résorber une bonne fois ces vaines rivalités ? Faudrait-il les voir toutes fusionner en une seule ? Car voilà ! – et c'est la bonne question : comment décider qui est le « méchant » parmi les compétiteurs lorsqu'on n'est pas soi-même du nombre des rivaux ? Et faut-il ensuite trouver l'autre « gentil » ? Comment décider qui défendre et savoir quel camp rallier ? Auquel sommes-nous chacun censés appartenir ou être tentés d'appartenir ? Quel bord nous convient alors que la compétition joue un tel rôle dans les destinées de chacun et qu'elle n'a pas lieu parmi nous ? Ces questions sont-elles jamais prises en compte ? De quelles informations disposons-nous pour leur trouver des réponses ? Les noms, les spécificités de chaque compétiteur sont-ils jamais mentionnés, comparés ? Et les différences qui les opposent entre eux ? Bref, nous fournit-on les éléments qui permettraient un choix, justifieraient des options ?

Non. Car ce n'est pas de compétitivité qu'il est question, mais de *la* compétitivité, telle une agitation en soi, concentrée sur elle-même. Les compétiteurs sont sans identité, les camps interchangeables. Leurs surenchères semblent plutôt les lier ; ils forment entre eux une caste. Les résultats de leurs combats n'ont d'influence que sur leurs propres intérêts, sur leurs circuits privés. Si camps il doit y avoir, la population dans son ensemble ne fait partie d'aucun, elle leur est étrangère, tout comme elle l'est à cette compétitivité qu'elle subit et dont les enjeux lui sont, en vérité, hostiles. S'il y a compétitivité, elle se passe entre intimes, entre puissances privées, *entre soi*, en somme, et dans l'intérêt commun des rivaux. Elle demeure sans lien avec le public, pour lequel elle resterait sans conséquences si les acteurs de ces joutes ne s'en servaient contre lui.

Mais, répliquera-t-on, ces joutes n'ont-elles pas des conséquences sur l'économie générale, dont les emplois dépendent ? Oui, la pseudo-économie est en jeu, mais elle n'est plus la poule aux œufs d'or, la source normale et prolifique d'emplois dépendant de sa croissance. Nous l'avons vu, sa philosophie du profit la porte au contraire à supprimer d'autant plus d'emplois qu'elle prospère. Regardons en face le fait que ces emplois ne lui sont plus indispensables, comme il y a peu de temps encore, ni même utiles ou nécessaires. Pire, leurs postulants encombrent. Quant aux emplois qui subsistent, ils ont pour vocation d'être alloués, telle une manne, aux heureux gagnants, voire comme une aumône à des indigents, comme un espoir qui leur fait accepter l'inacceptable et les maintient à merci, soumis, exploitables. Mendiant leur exploitation.

Emplois sous-payés, flexibilisés, morcelés en travaux précaires, délocalisés. Graal offert de préférence aux plus dociles, tels les habitants de ces pays où s'observent, encore licites, des conditions de vie médiévales, voire barbares, conditions maintenues, considérées comme enfin raisonnables par nos décideurs d'entreprises qui, dans un élan charitable, font travailler des enfants lointains. De chères (mais non onéreuses) petites têtes blondes, plus souvent brunes (aucune exclusion raciste ici, plutôt une inclusion !), qui peuvent en bénéficier en des régions où n'ont pas cours nos chichis ridicules, ces réticences surannées interdisant le travail des enfants ; souci bien archaïque dont ne s'encombrent pas ces « forces vives », championnes de la modernité ! Avant-garde pratiquant des mœurs datant du Moyen Âge, se risquant parfois audacieusement jusqu'au XIXe siècle, mais accusant d'archaïsme ceux qui se mêlent de condamner de telles régressions !

Car, de quoi nous plaignons-nous ? D'une pénurie d'emplois ? Vous plaisantez ! Deux cent cinquante millions d'enfants sont au travail, ployés sous de pesants fardeaux, devenant aveugles à tisser des tapis aux fils imperceptibles, faufilés dans les boyaux des mines, prostitués, épuisés, leur vie agressée par la pauvreté. Confortablement indignés dans nos fauteuils, nous regardons sur nos écrans l'horreur de la vie d'enfants de notre temps, privés de leur enfance et résignés, abîmés, alors que leur existence d'adultes ne pourra que prolonger cette injustice insensée, illégale – par ailleurs excellent spectacle qui prend aux tripes avant de passer à une émission de jeux ou de variétés.

Ces travaux forcés résultent *eux aussi* de décisions prises par des décideurs d'entreprises privées. « Compétitivité » oblige ! Oseront-ils dire, cette fois encore, qu'il s'agit là d'une nécessité ? Oseront-ils mettre en avant les exigences de leurs actionnaires ? Mais sans doute est-ce cela, s'adapter ! Et nous, que faisons-nous, sinon accepter ? Sinon user, en tant que consommateurs, de ce labeur d'enfants qui n'auront pas connu d'autre enfance ? Comment ne percevons-nous pas, même d'un point de vue égoïste, qu'il s'agit là des conditions de notre propre avenir et que celui de *tous* les enfants des générations prochaines se trouve par là menacé ?

La compétitivité sert de prétexte aux excès innombrables commis en son nom, mais tout autant aux dégradations aussi cruelles, encore que moins spectaculaires, des conditions générales de travail et de vie. Elle sert à faire passer ces exploitations pour logiques, indispensables et d'ailleurs favorables, aux yeux mêmes des exploités. Elle n'a d'autre enjeu que le profit – le profit à tout prix, dont le rôle demeure chaque fois ignoré, cependant que les populations sont dans leur ensemble censées se rallier inconsciemment à lui et lui donner droit, sous couvert de compétitivité, à une priorité absolue, à laquelle se plier est à la fois impératif et sans recours.

Sous couvert de concurrence, il s'agit encore une fois d'encourager une course à des gains sans limite, de tenir pour impossible le moindre refus, pour ridicule la moindre hésitation. Et de se résigner à ce qui persécute, de s'en accommoder, d'aller jusqu'à le réclamer. Il s'agit d'assister en spectateurs à ces épreuves où chacun des champions en lice devra surpasser les autres avant d'être à son tour surpassé dans l'exploitation du grand nombre, avec à la clé des retombées dramatiques : tragédies sociales, régression mondiale, et toute idée de civilisation reléguée, d'abord niée puis en danger d'être anéantie.

L'imposture générale est ici révélée : on voit bien qu'il n'existe pas de conflits réels entre les clans rivaux, mais une entente cordiale. La compétitivité se réduit à ces compétitions prévues par les clubs privés entre leurs membres, à l'intérieur du club, et sans conséquences au-dehors. Certes, chacun s'y adonne convaincu, dans la fièvre de gagner, mais l'enjeu est intime, chacun demeure en vérité solidaire de tous, et tous regardent dans la même direction. Les compétiteurs sont ligués entre eux par leur commune appartenance au club. Celui-ci fonctionne d'autant mieux que les compétitions, dont les résultats n'influent en rien sur l'équilibre ou les déséquilibres ambiants, font partie intégrante de son bon fonctionnement.

La compétitivité n'est qu'un jeu convenu entre ceux qui prétendent se la voir imposer, chacun assurant qu'elle lui est imposée par ceux-là mêmes avec lesquels il est d'accord, et d'accord aussi pour continuer. L'essentiel étant pour eux d'obtenir ce qui, à les entendre, leur est infligé. De prendre à tour de rôle l'initiative de ces mesures antisociales qui en déclencheront d'autres de la part de leurs rivaux et sur lesquelles il leur faudra surenchérir encore ; en fait, rien ne pourrait mieux convenir aux compétiteurs, qui suivent tous la même voie, celle d'une politique ultralibérale permanente, laquelle est exclusivement celle du profit au détriment des êtres sur lesquels ils entendent avoir priorité.

Autant d'avancées ultralibérales autour desquelles les foules anonymes sont conviées à s'associer. La compétitivité, leur est-il insinué, serait une force extérieure subie par l'économie privée, laquelle serait obligée, bien malgré elle, de répercuter sur le public cette force antagoniste à tous, mais irrésistible, à laquelle tous, puissants et misérables, sont appelés à « s'adapter » ensemble, puissants et misérables ligués.

D'où l'invitation faite aux manants de s'associer aux membres du club, de devenir les spectateurs médusés de leurs jeux, et même de jouer ce jeu en tant que *supporters*, de se passionner pour leurs conflits internes et, surtout, de se plier avec gratitude à leur cause, présentée comme d'intérêt général, mais qui est celle du profit.

On voit fonctionner la méthode en cours, qui consiste à donner pour certain ce qui n'a pas été démontré, mais à obtenir le silence sur ce qui est certain.

Ici, l'essentiel est de dissimuler le rôle du profit, celui de la politique qu'il suscite, de faire oublier jusqu'à son existence alors même qu'il devient plus envahissant, plus actif et tout-puissant. Dans ce but, les aléas de l'emploi – licenciements, flexibilité, bas salaires, entre autres – sont imputés à la compétitivité, qui sert de paravent alors qu'elle ne joue guère de rôle sur l'emploi dans son ensemble. Que ce soit l'une ou l'autre des entreprises en lice qui l'emporte, cela n'aura pas d'influence sur la quantité générale d'emplois, à moins qu'il ne s'agisse de fusion ou de rachat. Ce qui en aura, c'est la propagande faite autour de la compétitivité afin de faciliter l'acquiescement à des politiques de l'emploi ravageuses, débouchant sur une déliquescence de la société.

Une certaine propagande focalise sur ces rivalités l'antagonisme de ceux qui subissent, à vrai dire, le joug du profit, et va jusqu'à les convaincre de prendre parti, de se détourner de leur cible naturelle pour s'associer aux intérêts de l'un ou de l'autre de leurs adversaires, et de les rejoindre dans leurs luttes intestines. C'est l'un des points forts de la méthode que d'enrôler furtivement dans les rangs du système ceux que le système exploite, et qui devraient concentrer leurs forces pour s'opposer à lui. De persuader ceux que l'on veut réduire à merci qu'il s'agit là de leur destin naturel. De les amener à devenir le public crédule, ou paraissant l'être – ce qui ne vaut guère mieux –, de matches commerciaux livrés à leurs dépens par des complices qui se prétendent adversaires entre eux. Des adversaires en réalité ligués, employés à convaincre ceux qu'ils exploitent de ne pas seulement subir leur programme, mais de le soutenir.

C'est qu'elle se révèle lourde, très lourde, la population planétaire, à soumettre en entier ; il n'est pas aisé de la conditionner, de lui faire supporter ce qui lui est néfaste et renoncer à ce qu'un long passé de luttes lui a permis d'acquérir, de la faire régresser et de lui faire subir de telles coercitions tout en veillant à ce qu'elle n'explose pas ! Sous un régime se réclamant encore de la démocratie, cette population, il faut faire avec. Tout en occultant la question qui, articulée, risquerait de devenir : « Comment s'en débarrasser ? »

Anesthésier pour mieux convaincre, recouvrir avec patience et persistance l'espace mental, et par là tout espace, d'un filet de propagandes permanentes, effrénées, cela relève d'une pratique multiséculaire, mais dont les moyens n'ont jamais été tels ni la portée aussi immédiate et générale.

Refuser d'être dupe et le déclarer, déceler l'imposture, résister à la complicité, ce sont des tâches ingrates mais fondamentales, insuffisantes mais *indispensables* à qui entend s'extirper des ruses ultralibérales ; inutile de prétendre rien résoudre avant de les avoir accomplies. C'est aussi une priorité.

À quoi bon chercher à résoudre des problèmes fabriqués pour n'être solubles que dans le cadre où ils s'épanouissent, et au moyen de ce qui les constitue ? S'attaquer à des problèmes mis en avant par ceux-là mêmes qui sont à leur origine et dont l'intérêt est qu'ils se perpétuent, afin de masquer les vrais problèmes, c'est mieux se soumettre à leur système, s'enfoncer davantage dans leurs pièges et foncer vers ce qu'ils ont prévu, ce vers quoi ils nous poussent et qui ne fera que prolonger, légitimer les difficultés authentiques dont nous voulons nous délivrer et dont ils veulent faire de nous les complices.

Il est donc vital de discerner l'acharnement avec lequel nous sommes maintenus encerclés par l'idéologie ultralibérale, qui n'admet qu'une logique, celle du profit privé, dans un système qu'elle a mis en place et au sein duquel seule cette logique parvient à fonctionner ; d'où le sentiment qu'il n'en existe aucune autre et que mieux vaut oublier toute vie ailleurs que dans ce système où elle peut s'exercer.

Système qui repose sur un dogme obsolète selon lequel l'emploi dépend du profit, de la rentabilité des entreprises et de la croissance – alors que le profit, la rentabilité sont aujourd'hui incompatibles avec l'emploi et s'obtiennent moins grâce à lui que par sa suppression. D'autant que le profit ainsi obtenu débouche bien moins sur l'investissement que sur la spéculation, qu'il nourrit et qui le nourrit. Il n'empêche : tout repose sur ces axiomes désuets et toute proposition divergente, toute contestation achoppent sur ce cercle vicieux. Ainsi a pu s'établir sans obstacle et sous le label rassurant d'« économie de marché » l'hégémonie d'une puissance financière débridée qui tient sous son joug, avec une violence inapparente mais sans pareille, l'ensemble des circuits planétaires.

Puissance financière de moins en moins rattachée à l'« économie de marché », et qui se confond toujours davantage avec les « valeurs » virtuelles, volatiles, d'une spéculation portée à des extrêmes qui frôlent la démence : voilà de quoi nous dépendons et quels sont les tenants, les aboutissants de toutes les politiques pratiquées aujourd'hui, qui, pratiquement *toutes*, adhèrent ou consentent avec plus ou moins de fougue ou de réticence aux logiques ultralibérales qu'elles ont promulguées ou laissées se propager, s'implanter, et dont elles proclament ou déplorent aujourd'hui qu'à leur règne il n'y a plus d'alternative.

Cela revient à dire que nous vivons au sein de politiques en apparence diverses, mais qui toutes répondent d'une politique mondiale assise sur un principe unique et sous-jacent, réputé indiscutable : celui de la priorité plus ou moins clandestine accordée au profit privé, sacré source d'emplois ; principe contre lequel il est entendu qu'il n'y a pas de recours et selon lequel quiconque n'admet pas l'« économie de marché » comme modèle unique de société, comme la définition même de la démocratie, est un autiste retardataire doublé d'un excité dangereux.

Peu importe si ce qui correspond aujourd'hui au label « économie de marché » ne répond plus à sa définition !

Peu importe ce que peut avoir de totalitaire cette sujétion à une idéologie unique qui, masquée derrière la « globalisation », ne laisse place à aucun contre-pouvoir !

Étrange situation, inédite. Certes, nous vivons en démocratie, une démocratie maltraitée, mais présente : qu'elle vienne à disparaître, la cruauté de la différence nous ferait apprécier sa forme actuelle, pourtant sauvagement équivoque. Car, sans détruire l'atmosphère, les structures ni même les libertés démocratiques dont elle s'accommode, une étrange dictature s'est installée, que ces latitudes ne peuvent perturber, tant sa puissance est affirmée, tant elle tient sous son ascendant tous les facteurs nécessaires à l'exercice de sa souveraineté, tant elle peut se passer sans cesse davantage de l'ensemble des humains, tant elle est en rupture avec la société. Tant ses priorités font loi.

Une dictature sans dictateur, qui s'est insinuée sans s'attaquer à aucune nation spécifique. Une idéologie du profit qui s'est imposée sans viser d'autre but que l'omnipotence d'une puissance financière illimitée, laquelle n'aspire pas à prendre le pouvoir, mais à avoir tout pouvoir sur ceux qui le détiennent, en abolissant leur autonomie. Si ces derniers prennent toujours les décisions, s'ils en conservent la gestion, c'est en fonction et sous la coupe d'un terrorisme financier qui les laisse sans liberté ni choix.

La classe politique est ici étranglée, or elle est essentielle, mais à condition d'être dirigée par l'opinion publique qui, aujourd'hui, prise de court, ne se fait guère entendre, mais n'en pense pas moins. Une conscience publique internationale existe, « mondialisée », en majorité antilibérale, mais qui ne sait pas encore à quel point elle est répandue, d'autant moins que l'une des ruses du système consiste à convaincre chaque réfractaire à la pensée unique qu'il est isolé, sans doute délirant et certainement grotesque. « Irréaliste », aussi, puisqu'il estime « réaliste » l'idée incongrue qu'après tout la planète est habitée par une humanité historique et vivante dont il faudrait tenir compte par priorité. « Archaïque », de surcroît, puisqu'il est rétif à une « modernité » qui consiste à régresser au XIXe siècle ! Cependant, cette opinion publique commence à se reconnaître, à se pressentir nombreuse, et à l'échelle internationale ; elle est prête à assumer son rôle. Elle seule peut permettre à la classe politique de recouvrer le sien. Et, pour ceux qui, en son sein, le désirent, de s'affranchir du club ultralibéral.

Pour qu'advienne le règne de ce club, il n'a fallu *aucun complot*, mais, beaucoup plus grave et plus efficace, une politique qui, faisant le jeu de la puissance financière, en bénéficie et peut, grâce à elle, contrôler les quelques points névralgiques qui régissent l'ensemble. La machinerie s'enclenche, et se déclenche alors l'enchaînement des logiques d'un système idéologique en circuit fermé ; elles permettent, à partir d'axiomes, d'estimer que les prédations, les dérégulations opérées par ce système sont des faits exemplaires, lesquels entrent aussitôt dans les mœurs et tiennent lieu de diktats. Sans qu'il soit besoin de complot, tout le faisceau politique se retrouve mécaniquement enchaîné à ce réseau de faits de plus en plus inextricables, tous au service du profit privé et de ce qui l'impose. Tandis que se réduit, avant de disparaître, l'espace laissé à la moindre proposition qui permettrait de mettre ce système en cause et de faire valoir – ou même de se souvenir – qu'il en existe d'autres, que d'autres pourraient exister.

Peu spectaculaire à ses débuts, presque invisible, l'emprise ultralibérale, dès qu'elle fut à peine et vaguement perçue, apparut comme déjà implantée, confondue avec la globalisation, laquelle semblait ne faire qu'un avec la nature, et constituer la substance même de toute société. Par ailleurs (et c'est ce qui a permis d'éviter l'inquiétude des classes moyennes), cette emprise a longtemps été confondue avec les routines familières d'un capitalisme visible, lui, et même exposé, relativement cartésien, qui masquait les délires despotiques et ravageurs, la paranoïa de l'ultralibéralisme.

Mais aussi ses innombrables incompétences, fort peu soulignées, si vite oubliées, jamais prises en compte dans les prévisions. Et, surtout, jamais sanctionnées. Ce sont les populations qui paient ces erreurs, souvent aberrantes, sur lesquelles elles n'exercent aucun contrôle préalable ou *a posteriori*. Les responsables, eux, poursuivent leur chemin. Un ratage dévastateur ici sera nerveusement, dans l'affolement, compensé là, en termes de flux financiers, par ces apprentis sorciers. La Terre continuera de tourner – tout au moins la Bourse de monter, ce qui, pour eux, revient au même !

Et qu'importe si des nations sont laissées exsangues, lourdes de misère après le passage de ces champions, partis s'exercer ailleurs ! Incompétences bien humaines, dira-t-on. Oui, mais plus désastreuses qu'aucune autre, leurs desseins informes impliquant chaque fois des pans entiers de la planète, menés au hasard, ballottés par les cahots impérieux et stériles de la spéculation.

Ce sont des vies humaines qui sont emportées dans ces frénésies irresponsables, détériorées par leur cruauté, mais surtout par une incohérence froidement instaurée, attentivement reconduite, savamment déguisée, qui mène la multitude à l'impasse et l'y maintient.

Incohérence ? Comment définir autrement le fait de retenir cette multitude dans un état déliquescent et des générations entières dans la détresse, rien qu'en s'entêtant à conférer à l'emploi, baptisé « travail », le rôle capital qu'il ne peut plus jouer ?

Rien d'innocent à baptiser du noble terme de « travail » ce qui relève de l'« emploi », confusion qui suscite une réaction immédiate, indignée : « Impossible ! Le travail *ne peut pas* disparaître ! » Ce qui est vrai. Le travail, fonction inhérente à la personne humaine, ne peut pas disparaître, mais l'emploi, lui, le peut, tout en laissant intacts le concept, les possibilités et l'avenir du travail, au contraire libéré.

Rectification, cependant : cette incohérence ne révèle-t-elle pas, au contraire, une cohérence extrême, une stratégie plus ou moins consciente visant à tenir à merci l'ensemble des populations ?

Licencier, déréguler, restructurer, délocaliser, fusionner, privatiser, spéculer : autant de mesures éminemment néfastes pour l'emploi, mais données avec aplomb comme favorables, puisqu'elles servent le profit, la rentabilité, donc la croissance, soit, selon le dogme classique, les conditions mêmes du retour de l'emploi. On a vu ce qu'il en est.

Ce n'est pas la disparition de l'emploi qui est le plus funeste, mais l'exploitation cynique qui est faite de cette disparition, et d'abord en la contestant, en prétendant que le chômage actuel serait exceptionnel, temporaire, insolite, et en préservant de la sorte le mythe de l'emploi, dont l'évanouissement ne serait qu'une éclipse. Et, par là, en promettant son retour imminent, en dédramatisant l'exclusion de ceux qui en sont démunis, en encourageant le sentiment de honte qui l'accompagne (mais qui, fort heureusement, va décroissant), en resserrant l'emprise sur ceux qui risquent d'y basculer, livrés à la merci des détenteurs de ce qu'il reste d'emplois.

Ce n'est pas tant l'absence d'emplois qui est funeste, que les conditions de vie indécentes, le rejet, l'opprobre infligés à ceux qui en souffrent. Et l'angoisse de l'immense majorité qui, menacée de les rejoindre, se voit soumise à des contraintes toujours plus oppressantes.

Si l'obsession de l'emploi augmente au fur et à mesure qu'il disparaît, si son culte devient toujours plus idolâtre, si la priorité va à cette lutte sans fin (et inefficace) contre le chômage *via* l'assistance au profit – les

« chômeurs », eux, sont par millions[1] résolument abandonnés à leur sort. La lutte contre le chômage les laisse de côté, avec leurs maigres allocations si souvent contestées, et pour tout horizon la « fin de droits », expression hallucinante d'inhumanité.

Tenir l'état de ces millions de chômeurs pour une priorité ? Impensable ! Ce serait une preuve de pessimisme impardonnable, une insulte à la promesse d'un retour imminent du plein emploi (ou presque). Ainsi, en France, lorsque l'État estime possible d'utiliser des fonds afin que la population profite de la croissance, il juge que les utiliser à rendre la vie des chômeurs et des déshérités moins intolérable procéderait d'un défaitisme navrant ; il faut avant tout miser sur l'emploi à venir – du moins théoriquement –, sans s'attarder sur ceux qui souffrent en permanence, souvent depuis longtemps, d'en être très actuellement démunis, avec pour tout recours des promesses. Ce serait d'ailleurs, nous dit-on, aller à l'encontre de leur vœu le plus cher : celui de « retrouver leur dignité » (dont on se persuade – et dont on les persuade – qu'ils l'ont perdue !) et de ne plus être des « assistés ». Ne les humilions surtout pas !

Les entreprises n'étant pas supposées avoir de ces pudeurs, ce sont elles que ces fonds iront « assister » à coups de détaxations, de subventions qui ne semblent

1. Officiellement trois millions en France, dix-huit millions dans l'Union européenne.

guère générer chez elles le moindre sentiment d'humiliation. Qu'importe si, subventionnées afin d'être « incitées » à embaucher, ces entreprises encaissent et, d'ordinaire, n'embauchent pas, ou guère, à moins d'en avoir eu déjà l'intention et de pouvoir ainsi la satisfaire à bon compte. Magnanimes, à défaut d'embaucher, elles consentent dans certains cas... à débaucher un peu moins.

De tels détails ne sauraient déstabiliser les esprits positifs qui se font fort de réduire le chômage, de telle sorte que les demandeurs d'emplois n'auront à passer, promis-juré, que quelques années dans les affres. Dès lors, pourquoi se faire du souci ? Une fois ces années passées, ils peuvent avoir la certitude de rencontrer d'autres promesses. Quoi de plus chaleureux ?

On avait pourtant eu l'impression que le travail était un droit. Mais ce n'était sans doute que le droit d'avoir cette impression !

La Déclaration des droits de l'homme prend aujourd'hui des allures subversives et ne semble envisager que de folles utopies. Mais elle fait toujours bien dans le décor, il est bon de s'y référer. Or, s'il est permis éventuellement de s'y opposer, de la critiquer, en venir comme aujourd'hui à la bafouer tout en la révérant, quelle sinistre plaisanterie !

La Déclaration universelle des droits de l'homme adoptée le 10 décembre 1948 par l'Assemblée générale des Nations Unies stipule, article 23, que :

> « 1 - Toute personne a droit au travail, au libre choix de son travail, à des conditions équitables et satisfaisantes de travail et à la protection contre le chômage.
>
> 2 - Tous ont droit, sans aucune discrimination, à un salaire égal pour un travail égal.
>
> 3 - Quiconque travaille a droit à une rémunération équitable et satisfaisante lui assurant, ainsi qu'à sa famille, une existence conforme à la dignité humaine et complétée, s'il y a lieu, par tous autres moyens de protection sociale. »

On voit ici à quel point les nations qui ont adhéré à cette Déclaration sont devenues parjures.

Oublié, le droit au travail ! Nié, le fait que la « dignité » de toute personne est acquise de droit ! Qu'une personne est digne en soi, qu'elle détient une dignité qu'un emploi ne saurait lui conférer, l'en léser encore moins.

On le voit, c'est le concept même d'« assistanat » qui est indigne, fabriqué pour mieux faire s'effondrer l'adversaire qu'est devenu l'individu. Si l'on peut dire... Car cet individu tant choyé par l'ultralibéralisme ne saurait être, selon lui, qu'un « décideur », un « entrepreneur », jamais, au grand jamais un « pauvre », ni quelqu'un en voie de le devenir ! Est seul un individu celui qui s'autorise à prendre des initiatives individuelles, et à se mettre en situation d'influer à son gré sur les vies d'une foule de non-individus, lesquels ne sauraient s'y opposer sans attenter à la liberté individuelle de l'authentique Individu.

Le prétendu « assistanat » ne représente d'ailleurs pas même une « aide », mais un droit : la compensation par la société des injustices qu'elle a elle-même créées, compensation dérisoire au regard d'une dette qu'elle n'éteint pas.

Si les emplois disparaissent, et avec eux le « droit au travail », et si la société ne parvient pas à rétablir les pleins droits de ceux qui en sont spoliés, quel droit a-t-elle de les sanctionner, comme elle le fait si cruellement, alors qu'*elle* est en défaut et qu'au lieu de les jeter de côté, livrés à la souffrance, condamnés sans aucune raison licite, son rôle serait de les délivrer d'un tel enchevêtrement d'injustices et de dégâts ?

La solution ? Il n'en est qu'une : refuser qu'elle ne le fasse pas. Exiger qu'elle le fasse. Avec quels moyens ? En en faisant une priorité. En débloquant les ressources nécessaires, celles que l'on dégèle dans les situations prioritaires, mais cette fois en permanence, pendant toute la durée de ces anomalies. D'autant que l'optimisme doit nous pousser à prendre pour argent comptant les promesses selon lesquelles cette durée sera brève !

C'est le choix des priorités qui détermine le possible. Il va aujourd'hui aux jeux de hasard, à des spéculations stériles qui n'intéressent qu'une petite bande d'« accros », mais auxquels une politique oligarchique, une idéologie totalitaire ont permis, dans un climat feutré, de donner la prépondérance – et de conditionner les esprits à ce rejet de la réalité, à ce que la gestion économique, supposée être au plus proche du concret, mène au contraire à un chaos virtuel, à un déni de la réalité, en particulier celle, pourtant fondée sur des « sources sûres », qu'il existe sur terre des êtres humains vivants. Sensibles. Parfois nommés « nos semblables ». Une réalité bien triviale aux yeux de nos flambeurs et de leurs bookmakers, qui ne voient, n'entendent, ne communiquent plus qu'avec le monde factice qui les passionne et auquel ils sacrifient le nôtre.

Ainsi trouvent-ils normal d'attendre des chômeurs qu'ils vivent exposés à des situations insoutenables pour un temps indéfini, qu'ils aient à subir épreuves après épreuves imposées sans raison, sinon arbitraires et dont ils ne sont pas responsables, en tout cas pas plus que nous. Il leur semblerait aberrant de remodeler un budget en fonction du sort de personnes vivantes, sans donner priorité à l'affichage des résultats du CAC 40 et autres abstractions qui provoquent de tels drames et sécrètent les obstacles à leur réparation.

Si de tels obstacles existent dans des pays riches comme la France, quatrième puissance économique mondiale, ou les États-Unis, qui en sont la première, c'est qu'il y a quelque chose de pourri dans le royaume planétaire. Et que c'est bien cela qui est à rejeter, avec toutes les modifications qui en découlent, sans tenir compte des yeux levés au ciel, des protestations criant à l'irréalisme et à des impossibilités radicales. Impossibilités qui tiennent au fait que, pour obtenir une société à peu près convenable, il sied de créer des dépenses qui risquent en effet d'écorner les budgets exclusivement axés sur le profit privé, décrété sacré. Mais de quel côté se trouvent l'irréalisme, le manque de sérieux ? Les fonds existent, les richesses ne manquent pas. Reste à régler la question de leur répartition.

Si cela doit bouleverser l'équilibre ultralibéral tourné vers d'autres priorités, ce sera pour restaurer un peu d'économie réelle. Et c'est faisable, bien plus faisable que les acrobaties virtuelles autour de spéculations inadéquates à tout autre but qu'elles-mêmes !

Il ne s'agirait là que d'une contre-réaction, d'une opposition à la prise de pouvoir absolu du régime ultralibéral qui gère un monde où, dans les pays pauvres, 1,3 milliard de personnes vivent avec moins d'un dollar par jour et où, dans les pays riches (ô combien !), des dizaines de millions vivent au-dessous du seuil de pauvreté – en France, huit millions. Où tout aboutit à des valeurs boursières (les seules) qui ne font que s'envoler grâce à cette situation qu'elles ne cessent d'aggraver.

Il n'y a pas d'excuses à être arrivé là où nous en sommes, par des temps de richesse, et à laisser vivre dans la détresse ces millions, ces dizaines de millions de nos contemporains. Il y en aurait encore moins à ne pas prévoir ce qui est en gestation, à laisser une fois de plus ce qui est indésirable s'installer sous nos yeux sans même l'apercevoir, mais en le subissant.

Nous sommes priés de traverser, figés, des temps de

mutation. Une part éminemment réduite de privilégiés prend seule sa liberté, accède au mouvement ; du fait qu'elle participe et profite de la modernité, du progrès, sans avoir l'usage et donc l'emploi de ceux laissés en rade, elle estime moderne de se passer d'eux et de les laisser, pétrifiés, dans l'attente que le passé renaisse, ce temps où ils lui étaient nécessaires.

Cependant, même si le rapport de forces est différent, il est jugé préférable de poursuivre les routines autour de l'emploi, de chanter sa légende, de fredonner, afin de faire rêver, les vieux refrains promettant des lendemains qui travaillent.

Est-il plus optimiste de chanter ces berceuses assoupissantes ou de les dénoncer, de révéler les pièges sur lesquels elles reposent, sur lesquels elles débouchent, et de démystifier les faux espoirs dont le but est d'obtenir un acquiescement général à l'inacceptable ? Vaut-il mieux s'éveiller au « réel » ou se résigner au « réalisme » des décideurs et des spéculateurs, qui consiste à faire admettre qu'ils sont les plus forts et à en déduire qu'ils ont tous les droits ?

En entendant chanter la valeur sans pareille de l'emploi par ceux pour qui sa suppression massive revêt tant de charme lorsqu'elle séduit les investisseurs – eux aussi enchantés –, il serait bon de leur rappeler la valeur qu'ils donnent à l'emploi lorsqu'il s'agit de le rétribuer.

Une logique réaliste, moderne, voudrait en fait que soit supprimée cette religion de l'emploi et que disparaisse avec elle le concept anachronique de chômage, qui tient lieu de schlague à l'échelle mondiale. Mais, ce concept disparu, quelle frustration pour le régime ultralibéral, quelle privation de moyens de coercition, de possibilités de chantage, de voies d'exploitation, de procédés de soumission !

Mais quelle avancée cela signifierait de ne plus laisser exploiter le chômage ! De renoncer au regard anachronique porté sur lui et de prendre en compte son caractère actuel, celui d'un phénomène entièrement neuf, encore nommé ainsi, mais qui n'a plus de liens avec ce que son nom indique. Nous nous affrontons à un fantôme, celui d'un chômage qui a disparu avec l'époque révolue à laquelle il correspondait.

C'est le chômage du temps de grand-papa qui est aujourd'hui combattu et, s'il sévit encore de nos jours, c'est artificiellement. Dans beaucoup de cas, qui vont en augmentant, l'emploi est à caractère précaire et n'est plus tant un facteur d'intégration ; il n'occupe pas tout le temps, ne suffit souvent pas pour vivre (ce qui, normal à la fin du XIXe siècle, avait cessé de l'être), il n'extrait donc pas forcément ceux qui en bénéficient de la catégorie qui vit au-dessous ou autour du seuil de pauvreté. Le rapport de forces a changé et, par là, le statut de l'emploi, son importance aux yeux des entreprises. S'il leur était toujours aussi fondamentalement nécessaire ou même utile, la plupart d'entre elles seraient alors dirigées par de fieffés masochistes ! Il n'est que d'ouvrir un quotidien, écouter la radio, regarder la télévision pour découvrir, annoncés chaque jour, de nouveaux licenciements en masse, agrémentés de suppressions de postes, effectués par les sociétés les plus florissantes qui, nous l'avons vu, deviennent de ce fait plus florissantes encore. Tandis que les responsables de l'économie privée proclament eux-mêmes qu'il ne s'agit pas là d'accidents conjoncturels, mais de l'expression même de *la* « modernité », de son savoir-faire gestionnaire, de sa rationalité.

Quelques exemples encore. Ils s'ajoutent à ceux qui précèdent[1] et sont datés de novembre et décembre 1998 :

Le 7 novembre, Sogenal, 250 à 280 licenciements sur 1 200 salariés.

Le 12, Cummins Wartsila (Mulhouse), 500 licenciements sur 700 salariés.

Le 13, Shell, 3 000 suppressions d'emplois en Europe. Monsanto, 700 à 1 000 licenciements prévus.

Le 21, Seita, 2 usines fermées (et chaque fois toute une région appauvrie), suppression prévue de 500 emplois au moins.

Le 26, Thomson/Dassault Electronic (fusion), 1 300 suppressions d'emplois.

Le 28, Monoprix, siège de Paris, 300 suppressions d'emplois sur 1 200.

Le 30, Rover, 2 500 suppressions d'emplois.

Le 1er décembre, Volvo, 5 300 emplois supprimés.

Le 2, Boeing, 5 % des effectifs, soit 48 000 licencie-

1. Voir *supra*, p. 11.

ments en deux ans. Exxon/Mobil (fusion), 7 % des effectifs supprimés, soit 9 000 emplois.

Le 3, Panasonic, 400 à 600 suppressions prévues.

Le 4, Texaco, 2 000.

Le 5, Johnson & Johnson, 5 800.

Le 7, AFP, 200 licenciements.

Le 8, Deutsche Telekom, (privatisation), 14 100.

Le 10, Northrop, 1 800, s'ajoutant aux 8 000 déjà annoncés. Smith and Nephew, 480. Seb, 395.

Le 17, Citigroup, 5 % des effectifs, soit 10 400 licenciements.

Le 18, Laboratoires Pierre Fabre, 179 licenciements.

Le 21, Thomson-CSF, 4 000 licenciements dont 3 000 en France.

Et, au hasard, 11 000 licenciements en juillet 1999, après la fusion d'Axa et de Rhône-Poulenc, 4 200 (pour un début) après celle d'Elf et de Totalfina, sans compter les innombrables autres milliers de licenciements, issus de fusions, comme par exemple celle de Paribas et de la BNP, ou de stratégies de productivité, comme, entre autres, chez Michelin ou Ericsson, en Suède (10 000 licenciements), ou encore Procter & Gamble qui, avec 3,78 milliards de dollars de bénéfices, soit 24 milliards de francs, ferme 10 usines en juin 1999, supprimant ainsi 15 000 emplois ; le PDG, Durk Jager, invoque la création de « valeur pour l'actionnaire[1] ».

En revanche, Renault prévoit triomphalement, grâce

1. Source : *Le Monde*.

aux « trente-cinq heures », une embauche pour... trois départs, et la Poste, pour la même raison, cessera de supprimer 3 000 postes par an !

Plus révélatrices encore, les contorsions auxquelles doivent se livrer les gouvernements successifs pour parvenir à injecter dans le marché un nombre dérisoire de postes nouveaux démontrent bien où en est le marché de l'emploi. Par exemple lorsque l'État estime devoir « financer » les emplois du secteur privé ! Lorsqu'il offre aux entreprises une bonne part des salaires dus à leurs employés afin qu'elles « puissent » les payer ! Effet d'aubaine ahurissant ! Manne pour le secteur privé, pure « assistance », cette fois non soulignée, mais supposée rafistoler, retarder et surtout voiler l'effondrement de l'emploi. Syndrome de l'autruche. Infantilisme, surtout, qui rappelle ces jeux où les parents refilent quelques francs à leurs gosses afin qu'ils puissent « faire semblant » et jouer à la marchande ou au marchand !

Infantilisme, mais guère naïf, car les entreprises voient ainsi leur main-d'œuvre payée par chaque citoyen, y compris par... leurs propres employés, qui paient, en somme, afin d'être payés, et sur lesquels elles se remboursent !

Ce jeu de dupes va-t-il se poursuivre longtemps ?

Croit-on vraiment que si les entreprises avaient besoin de ces effectifs, elles s'en priveraient, avec ou sans subventions ?

Comment peut-on tenir, à propos du chômage, les mêmes discours sans fin ressassés ? Et faux ? Comment peut-il être rabâché, entre autres, que les quelques acquis sociaux préservés, les faibles réticences opposées à l'ultralibéralisme sont responsables du taux de chômage sévissant en Europe, en particulier en France ? Et qu'aux États-Unis, où l'on ne s'encombre pas de ces « archaïsmes », il a pratiquement disparu, tandis qu'en Grande-Bretagne on n'en serait pas loin ? Hymne aux proches paradis des dogmes anglo-saxons !

Propagande, en fait ! Assénée, comme d'habitude, tel un fait irréfutable, et proférée sur un ton péremptoire, avec une telle arrogance, une telle apparente unanimité (grâce à de tels silences !), qu'aller à son encontre relève de l'héroïsme. Il faut se rappeler comment les mêmes accents accompagnaient le matraquage d'un autre miracle, le « miracle asiatique ». Miracle asiatique, miracle américain : même combat, même intoxication !

Étrange « miracle », cette fois encore, alors que les États-Unis conservent depuis trente ans, même en ces temps « miraculeux », le même nombre effarant d'indigents : plus de trente-cinq millions vivant au-dessous du seuil de pauvreté au sein de la première puissance économique mondiale. Et deux millions de sans-abri. Telles sont les coulisses du « miracle » économique américain. S'agit-il vraiment d'un pays « développé » ?

A-t-on d'ailleurs raison d'appeler les pays riches des « pays développés » ? Parce qu'il y règne une telle disparité entre une poignée de fortunes faramineuses et la misère de plus d'un cinquième de leurs habitants, ce type de pays n'ont pas « développé » leurs potentialités.

La plupart des pays riches sont ainsi sous-développés, tandis que s'y maintient ou s'y... développe la pauvreté.

Or, c'est précisément cette pauvreté qui explique aux États-Unis un taux de chômage aussi faible, des statistiques aussi flatteuses. En vérité, *ce sont les pauvres qui remplacent ici les chômeurs* et qui souffrent d'une misère, d'une exclusion plus considérables encore, alors qu'après tout ce sont bien la misère, l'exclusion qui définissent le chômage, ses tares, sa gravité. La différence étant que ces pauvres n'entrent pratiquement pas dans les statistiques.

Ce qui n'est jamais souligné, c'est que l'évaluation du chômage s'opère à partir des mêmes critères dans tous les pays (statistiques fondées sur le nombre d'individus inscrits sur les listes de demandeurs d'emplois), alors que chacun d'eux est organisé selon des critères très différents et qu'il génère, avec le même nombre de sans-emploi, un nombre différent d'inscrits. À propos du chômage, s'il était tenu compte de tous ces critères et de paramètres essentiels jusqu'ici négligés, l'écart entre les États-Unis et la France, par exemple, serait infiniment moindre, voire négligeable ou même inexistant.

Comparons précisément les États-Unis, parangons de l'ultralibéralisme, et la France, qui y est tout de même l'une des plus rétives, et se voit souvent vilipender pour s'accrocher encore à des acquis sociaux jugés si « archaïques ».

Une parenthèse, d'abord, pour rappeler qu'aux États-Unis, depuis nombre d'années, le revenu des classes moyennes repose (dangereusement) sur les marchés boursiers et les aléas de la spéculation. Leur pouvoir d'achat en dépend ; certaines hausses de dividendes compensent parfois des baisses de salaire. Un ménage sur deux y possède des actions[1], soit 78,7 millions de personnes ou plutôt de familles qui, souvent – c'est le plus dangereux –, s'endettent pour en acheter. Certes, les marchés boursiers sont stables et même triomphants depuis un laps de temps inusité, mais ces nouveaux actionnaires ne semblent pas se représenter à quel point la « bulle financière » est fragile. On n'ose penser au désastre, à la panique que pourraient déclencher des mouvements brusques et négatifs de ces cours volatils, et ne parlons pas d'un krach !

Il ne s'agit pas ici d'« anti-américanisme », primaire ou non. Il s'agit du régime ultralibéral qui atteint en premier ce pays et ce peuple au contraire passionnants, qui recèlent une fraîcheur et une énergie sans pareilles, et qui seront peut-être les premiers à savoir s'en délivrer.

Mais voici quelques chiffres extraits du *Rapport mondial sur le développement humain* (1998), publié par le Programme des Nations Unies pour le développement (PNUD)[2].

Quel est, selon ce rapport, le pourcentage de la popu-

1. *Le Monde*, 22 octobre 1999.

2. Paris, Economica, 1998. Titre original : *Human Development Reports*, 1998.

lation vivant au-dessous du seuil de pauvreté monétaire en France ? 7,5 %. Aux États-Unis ? 19,1 %.

Sur les dix-sept pays industrialisés considérés dans cette statistique [1], les États-Unis viennent en tête, et de loin, pour le nombre d'individus vivant au-dessous du seuil de pauvreté. Vient ensuite... la Grande-Bretagne, avec 13,5 % ! Cette Grande-Bretagne présentée, elle aussi, comme un éden et dont le Premier ministre, Tony Blair, travailliste, n'hésite pas à déclarer – une gageure d'y parvenir, après le règne thatchérien ! – qu'il faut et qu'il va « en finir avec cette culture de l'assistanat », faisant ainsi écho à Bill Clinton annonçant « la fin de l'aide sociale telle que nous la connaissons » (et qui n'avait vraiment rien de pharaonique !).

Les États-Unis médaille d'or, la Grande-Bretagne médaille d'argent... de la pauvreté ! Que l'on ne nous chante plus à tout propos la prospérité, l'allégresse générales régnant chez ces chantres de l'ultralibéralisme ! À moins que l'on ne compte pour rien, pour rayés du nombre des humains, les plus défavorisés d'entre eux.

La Grande-Bretagne où l'on compte douze millions de personnes vivant au-dessous du seuil de pauvreté – la première cause de cette misère étant la privation d'emploi –, mais qui n'en est pas moins offerte en

1. Suède, Pays-Bas, Allemagne, Norvège, Italie, Finlande, France, Japon, Danemark, Canada, Belgique, Australie, Nouvelle-Zélande, Espagne, Grande-Bretagne, Irlande, États-Unis.

exemple comme exempte de chômage et championne de l'emploi ! La Grande-Bretagne, où plus d'un million de chômeurs ont été inscrits en tant qu'invalides, afin d'alléger les listes du chômage ! Où la protection de l'emploi est pratiquement inexistante, la législation du travail antédiluvienne. Par exemple, les congés payés n'y figurent pas à ce jour : ils dépendent du bon vouloir de l'employeur, qui peut les refuser. Un licenciement peut suivre immédiatement une embauche. La protection de la santé, qui était remarquable, en est à un tel point de dégradation que des mois d'attente sont nécessaires pour obtenir d'être opéré, qu'il arrive de ne concéder que six heures d'hôpital à une accouchée, faute de personnel et de lits, et que des hôpitaux en sont parfois venus à demander aux familles des patients de faire le ménage ! Néanmoins, l'allongement de la durée de la vie y est pris en compte : à partir de soixante-dix ans, toute personne est estimée bonne à jeter, non rentable, et, sans les moyens de les payer elle-même intégralement, tous les soins onéreux – tels que des scanners – lui sont interdits.

En France, 140 000 sans-emploi déclarent ne pas être inscrits au chômage, car trop découragés. En Grande-Bretagne, 837 000.

Un sixième des emplois en France sont à temps partiel, contre *un quart* en Grande-Bretagne. Les emplois à temps complet sont en nombre quasi équivalent dans les deux pays.

Des conditions draconiennes requises outre-Manche

pour s'inscrire au chômage contribuent à la modestie des statistiques, tout comme, si l'on est agréé, la faiblesse des indemnisations.

Pour en revenir au rapport du PNUD, qu'en est-il de la « pauvreté humaine » qui inclut la pauvreté monétaire, dont il est question plus haut, mais qui tient compte aussi d'autres variables comme, par exemple, le taux d'illettrisme, le chômage de longue durée, les chances de survie ? Eh bien, là aussi, les États-Unis sont médaille d'or avec 16,5 %. La Grande-Bretagne, médaille de bronze seulement, avec 15 %, l'argent allant à l'Irlande : 15,2 %. La France ? Elle est loin derrière, avec 11,8 %.

Mais lorsqu'il s'agit du chômage de longue durée, tout s'inverse, et des dix-sept pays industrialisés en question, les États-Unis présentent le pourcentage le plus faible : 0,5 % ! La disparité saute aux yeux entre un chiffre minimal de chômage de longue durée et un pourcentage énorme de misère et de négligence sociale, de loin le plus élevé parmi les pays développés.

Ainsi, *la première puissance économique mondiale est aussi, parmi les pays industrialisés, la première en ce qui concerne le taux de pauvreté de sa population.* Voilà qui donne à réfléchir sur le sens, la qualité, la nature de cette économie mondiale ! En particulier celle, purement ultralibérale, des États-Unis.

On voit à quel point joue l'intoxication, et qu'il est capital de n'accepter aucun des clichés de la propagande. Lorsqu'il est question de la misère aux États-

Unis, les dénégations vigoureuses et vagues signifient surtout qu'elle est estimée comme un détail sans importance. Mieux vaut savoir aussi qu'il se trouvera toujours quelqu'un pour hausser les épaules et affirmer, à défaut de pouvoir récuser le constat : « Bof ! Tout cela est bien bon, mais dépassé depuis la semaine dernière. Moi qui suis au courant, je peux vous dire aujourd'hui... » Mais il n'ajoutera rien – rien de précis, sinon ce qu'il souhaite croire ou faire accroire afin de jeter le doute sur ce qu'il est incapable de réfuter !

Comment s'expliquer qu'aux États-Unis, un taux de chômage de longue durée si faible, à peine perceptible, soit lié à un degré de pauvreté aussi effarant ? N'est-ce pas surtout la pauvreté qui est déplorée à propos du chômage ? Comment interpréter à la fois cette misère, signe si dévastateur, et cet indice, en principe si positif, d'une quasi-absence de chômage de longue durée ? Nombreuses en sont les causes qui n'apparaissent pas dans les statistiques, en fait bien éloignées de la réalité.

Aux États-Unis, la rupture suscitée par la misère est particulièrement brutale. L'exclusion y est plus radicale. Dans cette nation par ailleurs fascinante, d'un dynamisme effervescent, la vie devient vite périlleuse. Si l'on n'est pas solide financièrement, à peine franchi un certain seuil, c'est la chute qui devient vite définitive.

Dans ce pays si riche, qui abrite des fortunes de plus en plus insensées, le rôle de la Sécurité sociale est très réduit malgré les efforts de plusieurs présidents, dont Bill Clinton : tous ont échoué, vaincus par les lobbies, en particulier ceux des assurances privées [1]. La protection de la santé est très privatisée. La maladie, aux États-Unis, peut très souvent exclure d'emblée et irrémédiablement. La guérison est aléatoire, fonction du budget individuel. Il est courant, pour un hôpital, de refuser un patient, même amené d'urgence, même s'il est un blessé de la route, si sa solvabilité n'est pas attestée. Ce qui signifie sinon un homicide volontaire, au moins un délit de non-assistance à personne en danger.

Le nombre de prisonniers de droit commun – deux millions ! – n'apparaît évidemment pas dans les statistiques du chômage. La plupart, presque tous, appartiennent à des minorités pauvres ; libres, ils auraient fait partie des sans-emploi, inscrits ou non ; or, d'évidence, une fois incarcérés, ils n'apparaissent plus sur les listes de demandeurs d'emploi.

Mais, surtout, un nombre colossal d'hommes et de femmes vivent dans la misère, le plus souvent trop découragés, épuisés, trop exclus pour s'inscrire au chômage, d'autant plus qu'il est à peine indemnisé et pour un laps de temps très bref.

Car – cela est capital – ces faibles et brèves allocations sont des prestations sociales ; or, dans ce pays de cocagne, personne n'a droit, au cours de toute sa vie, à plus de cinq ans de ces prestations. On imagine quelle

---

1. Et nous ferions bien de nous rappeler que ces lobbies, en France, sont depuis longtemps à l'affût de ce manque à gagner gigantesque, dû au fait que les systèmes de santé comme de retraite passent chez nous par la collectivité.

angoisse précède la décision d'y recourir ! Même lorsque la misère devient excessive, faut-il entamer cette peau de chagrin ? Ne risque-t-on pas, devenu plus vieux, plus affaibli, d'avoir épuisé ses cinq années de droits ?

A-t-on réfléchi au gâchis humain que cela représente ? à l'inconscience, à la régression qu'une telle situation constitue ? à la façon dont les droits de l'homme se trouvent ainsi bafoués ?

Toute une littérature économique l'explique doctement : rien de tel que de dépouiller quelqu'un de tout, de l'abandonner, légalement démuni, humilié, sans recours, pour espérer le voir soumis, prêt à accepter n'importe quelles conditions de travail et de vie, aussi révoltantes soient-elles. Des recommandations vigoureuses vont ouvertement dans ce sens, émanant de l'OCDE, du FMI, de la Banque mondiale, entre autres [1]. Quelle meilleure méthode pour « abaisser le coût du travail », faire brillamment face à la compétitivité et libérer des fonds pour les investir... dans la spéculation ? Et pour ne pas se soucier davantage d'un matériel humain devenu superflu ?

Tout est parfaitement (on pourrait dire ouvertement) organisé, non pour « inciter » au travail, comme il est prétendu avec une suffisance insultante, mais pour contraindre à la soumission, à l'acceptation de n'importe quelle tâche, à n'importe quel tarif, pour n'importe

1. Voir *L'Horreur économique*, pp. 130-133.

quelle période, si brève soit-elle, et dans n'importe quelles conditions, ceux qui se retrouvent sans ressource aucune, sans respectabilité reconnue, tous droits déniés. Si l'on ne peut aujourd'hui se débarrasser des gens estimés non rentables, il n'est que juste – c'est la moindre des choses – d'au moins profiter d'eux !

De là les *working poors* (travailleurs pauvres), expression inventée aux États-Unis et qui dit bien ce qu'elle veut dire : il n'est pas anormal d'y vivre au-dessous du seuil de pauvreté, *même en travaillant* – donc, sans figurer dans les statistiques du chômage. Situation qui peut se prolonger sans fin, grâce, entre autres, au travail précaire qui reconduit l'angoisse due à la perte et à la recherche sans cesse renouvelées de l'emploi, et qui prévient la solidarité au travail, impossible au cours d'errances qui imposent l'isolement et le déni de professionnalité inhérents à la précarité. Qui, paradoxalement, conduit nombre de ces travailleurs précaires à recourir simultanément à plusieurs de ces emplois si mal rétribués, au prix d'une fatigue et d'un stress intenses, pour parvenir à peu près, cahin-caha, à joindre les deux bouts.

Mais il n'est pas indispensable de recourir au travail partiel : l'emploi à plein temps suffit aussi bien à assurer la pauvreté. Dans un entretien paru dans *Le Monde* [1], l'économiste Robert Reich, secrétaire à l'Emploi de

---

1. *Le Monde,* 7 septembre 1999. Robert Reich est l'auteur de *L'Économie mondialisée,* Dunod, 1993.

1993 à 1996, pendant le premier mandat du président Clinton, souligne :

« Il existe [aux États-Unis] une catégorie de travailleurs qui travaillent à plein temps et qui ne gagnent pas assez pour sortir de la misère. Ces *working poors* sont au nombre de douze millions. Cette situation, que je considère comme inadmissible, est la conséquence directe de la flexibilité accordée aux entreprises et non pas aux salariés... Les Européens doivent être au courant de la face cachée de la réussite américaine : plus d'insécurité, beaucoup d'emplois payés une misère, et des inégalités qui se creusent entre une masse de salariés qui se paupérisent et une minorité qui s'enrichit de plus en plus vite. »

On imagine à quel point les chômeurs, aux États-Unis, n'ont pas les « moyens » de le rester sur la longue durée ; ils ont pour seul choix ou bien de sombrer dans un tel degré de misère qu'ils renoncent à en émerger, ou bien d'accepter n'importe quelles conditions, souvent jugées inacceptables ailleurs, en France en particulier. Comme il est loin, le « libre choix du travail » réclamé par la Déclaration des droits de l'homme !

Mais, où il n'est même plus question de liberté ou de choix, c'est lorsque apparaît aux États-Unis – et se propage ailleurs, notamment au Canada, en Grande-Bretagne, en Nouvelle-Zélande... – le *workfare*, un des phénomènes les plus graves de ce temps, passé quasiment inaperçu.

Cette fois, le système ne se contente plus d'obliger

implicitement à accepter n'importe quel travail : il y contraint.

Qu'est-ce que le *workfare* ? Initié timidement par le président Reagan, républicain, avec le *Family Support Act*, il prend son véritable caractère avec le *Responsability and Work Opportunity Act*, institué le 31 juillet 1996 par le président Clinton, démocrate. On le voit, l'idéologie régnante, ses logiques ne laissent guère de latitude aux dirigeants politiques, de quelque bord qu'ils soient.

Ce que l'on nommait jusqu'ici *welfare*, le « prix du bien-être », autrement dit l'aide sociale, est remplacé par le *workfare*, soit le « tarif du travail », mais d'un travail forcé. Qui ne travaille pas est, au bout d'un certain temps, châtié, privé d'aide sociale. Cela s'adresse aux chômeurs, tous considérés comme responsables de leur état. Oubliée, la protection sociale inconditionnelle qui, « du berceau à la tombe », devait épargner aux plus faibles les plus graves périls et leur garantir une vie décente.

Aux États-Unis, si l'on n'a droit qu'à cinq années de prestations sociales au cours de toute son existence, ces cinq années elles-mêmes, si « généreusement » gratifiées, ne le sont pas sans restrictions : après deux années de chômage, le versement de toute prestation sociale, de toute indemnisation dépendra, pour être « mérité », de l'acceptation par le « bénéficiaire » de n'importe quelle tâche qui lui sera proposée – dans un tel contexte, imposée ! – par un État, une municipalité [1], mais *aussi bien* par le secteur privé – et ce, quels que puissent être le contenu, les horaires, la localisation du labeur indiqué, ou encore sa rémunération, si elle existe, puisqu'il s'agit d'un échange contre de maigres prestations, autrement supprimées.

Étant donné l'état de misère subi même avec l'octroi de cette aide sociale, cela revient, sous prétexte d'insertion, à acculer les chômeurs à mourir de misère s'ils ne se plient pas au travail forcé. Ce sont bien là les « travaux obligatoires », la « servitude » interdits par la première version de la Déclaration des droits de l'homme en réaction à l'esclavage des Noirs.

Le *workfare* pénalise les plus démunis, ajoutant à leur misère un mépris absolu, la démonstration du « degré zéro » de leurs droits, la privation de tout accès au respect ; il parvient sans le moindre scrupule à leur extorquer ce qu'il est encore possible de leur prendre : leur labeur à peu près gratuit. Une permissivité officielle proche de l'esclavage, qui fait penser aussi à ce que furent il y a peu les méthodes soviétiques.

La facilité avec laquelle cet asservissement des plus pauvres à un pouvoir tyrannique a pu s'installer et l'absence d'inquiétude, de réaction, le silence au sein

1. À San Francisco, les balayeurs de rue employés aux conditions du *workfare* sont payés un tiers seulement du tarif syndical, et s'ils ont dix minutes de retard sur un horaire débutant à six heures et demie du matin, leurs allocations sont amputées de trente jours (Ian Cotton, *The Guardian*, 29 octobre 1999).

duquel perdure un tel attentat perpétré contre les droits de l'homme, sont difficiles à comprendre et plus inquiétants encore que les faits eux-mêmes, car nous sommes ici aux frontières de la barbarie, là où des hommes sont traités par d'autres en sous-hommes.

L'absence internationale de réaction au *workfare* n'est-elle pas de bon augure pour qui jugerait bon, un jour, de parquer ces inutiles, ces parasites dans des réserves ou des camps ? Ne promet-elle pas la même indifférence, pour peu que l'on sache alors se montrer discret, avec ce qu'il faut de justifications vertueuses... s'il vaut encore la peine de se justifier ?

À ce jour, ce n'est guère pensable, mais demain ?

Pour en arriver aux mesures rétrogrades du *workfare*, toutes les stratégies du nouveau régime ont dû jouer ; l'une d'elles, loin d'être anodine, consiste à amalgamer la notion de dignité avec celle d'emploi ; à compatir à la perte de l'une, supposée accompagner celle de l'autre, comme si l'emploi n'était pas aussi inapte à conférer la dignité que son absence à la ravir. Comme si la dignité d'une personne dépendait du fait de détenir ou non un emploi, et que, sitôt après avoir été remercié, le licencié, jusque-là honorable, se métamorphosait en personnage « indigne » que seul un nouvel emploi, n'importe lequel, pourrait rétablir dans sa réputation. L'idée même est absurde ; elle devient d'une gravité extrême en un temps où les chantages exercés autour de l'emploi, du chômage ou de sa menace se propagent et se banalisent.

Si la dignité d'un homme ou d'une femme dépendait

du fait d'occuper ou non un emploi, elle n'aurait pas grande valeur. La dignité d'une personne, c'est d'en être une. Elle lui est d'avance acquise et peut seulement se perdre en raison de faits, tangibles ou non, parmi lesquels n'entre pas le chômage.

Combien de chômeurs se sont effondrés à l'idée de se croire devenus « inutiles », combien se sont estimés humiliés, en particulier face à leurs enfants ! Combien de responsables déclarent, souvent de très bonne foi, désirer avant tout leur restituer, avec un emploi, leur « dignité perdue », leur « estime de soi » !

Présenter le chômage comme une déchéance, ou même le laisser passer pour tel, participe d'une propagande démagogique, voire de type populiste, puisqu'elle rencontre souvent une adhésion facile ; mépriser un chômeur permet non seulement de se déculpabiliser, mais d'imaginer appartenir soi-même à un ordre supérieur et protégé, et de se donner l'illusion, en le tenant à distance avec ce qu'il endure, d'éloigner avec lui ce chômage qui menace et que l'on craint pour soi.

Cependant, qu'en est-il des enfants de travailleurs congédiés qui se découvrent soudain des parents réputés indignes et se jugeant eux-mêmes couverts d'indignité ? Ceux qui ont toujours vu leurs parents travailler doivent-ils les considérer comme déshonorés, soudain, parce qu'il a plu à quelque entreprise en mal de restructuration de les virer ? Quant aux enfants qui ont toujours ou presque toujours connu leurs parents dans la « gêne » si bien nommée, le désarroi, la mise à l'écart dus au chômage, ils se savent coincés dans le même cadre qu'eux, statistiquement promis au même destin, et portent déjà le lourd label d'indignité qu'ils doivent au dénuement familial, souvent à leur quartier, parfois à leur couleur de peau. Devenir digne de cette indignité ne fera, en fin de compte, guère de différence.

À noter que c'est dans un tel contexte que l'on exige de parents jugés si dénués de dignité qu'ils aient un ascendant sur leurs enfants ! Et que l'on se propose de les traîner en justice à l'occasion de toute « incivilité » commise par leur progéniture afin de pouvoir les châtier en leur soustrayant au moins une partie de leurs allocations, considérées comme un pactole.

Mieux vaudrait commencer par ne pas déconsidérer ces parents, les bafouer à tout propos, les traiter en exclus, en faire des sortes de parias, sous les yeux de leurs fils, de leurs filles, et, s'ils n'ont pas la peau claire, mieux vaudrait ne pas les tutoyer automatiquement, ni les suspecter d'emblée. Est-ce bien à eux, si ouvertement dépréciés par la société devant leurs enfants, de représenter, face à ces enfants, cette société même ? Est-il décent d'envisager de les poursuivre en justice, de les rançonner s'ils ne sont pas les éducateurs d'excellence qu'il est déjà si difficile à tout le monde de se montrer ?

La vérité est que, le plus souvent, le lien familial est très précieux, très fort au sein de ces familles [1], mais un

---

1. Sur *Radio Notre-Dame*, le dimanche matin, il est fort instructif d'écouter une émission où familles et amis peuvent parler à des

tel lien ne confère pas l'autorité voulue, si elle vous est déniée partout ailleurs et que vous entoure le mépris public. Il est encore plus désespérant, pour des enfants, et même déchirant, de voir qui a le statut d'un père, d'une mère, être traité sans respect. Qu'espérer pour soi, déjà si peu de chose en regard d'eux, au sein d'une cellule familiale elle-même considérée comme indigne ?

Cette pédagogie active du mépris est à l'origine de toutes les barbaries. Un piège facile, servi par tous les clivages sociaux ou raciaux.

L'un des plus dommageables est celui qui, fort encouragé, persiste entre salariés et chômeurs, comme s'il allait de soi. Il semble pourtant que ce ne soit même pas la seule solidarité des salariés avec les chômeurs qui soit indispensable, mais la conscience, de part et d'autre, qu'il n'existe pas de frontière entre eux. Que l'on en soit menacé, frappé ou que l'on se trouve hors-champ, il y a lieu de viser avant tout ce que le chômage permet et qui nuit à l'ensemble, en n'oubliant pas que travailleurs et chômeurs s'entrecroisent, échangent leurs places et leurs rôles dans cette histoire commune. Au point qu'aujourd'hui, les milieux privilégiés, les collaborateurs haut placés, jusqu'ici épargnés, savent qu'ils n'en sont plus protégés. Leurs enfants, moins encore.

Combien de travailleurs se vivent comme en sursis

---

prisonniers (qui évidemment ne peuvent répondre). En entrant dans ces vies, on découvre des propos d'une fidélité, d'un respect et d'une tendresse enviables.

de chômage et sont traités comme tels, acculés à accepter n'importe quelles conditions de travail, précaire, à temps partiel, sous-payé ? De toute façon, telle une épée de Damoclès, cette menace pèse au moins mentalement sur la plupart, et elle est exploitée. Les détenteurs d'emplois sont d'autant plus vulnérables, aisément malléables, corvéables et jetables, qu'empire la condition de ceux qui s'en voient privés.

Que cela ne soit pas véritablement pris en compte, en particulier par les syndicats, et sur une échelle internationale, est plus que surprenant. Il semble si évident que chacun de ces ensembles, d'ailleurs fluctuants, doit se joindre à l'autre, que leur clivage fait le jeu d'un régime qui cultive le chômage, ou plutôt ses effets, alors même que les gouvernements qu'il régit prétendent l'enrayer. Dire non ensemble donnerait une mesure exacte de l'importance de l'enjeu et de la force qui l'accompagne. Le meilleur et sans doute le seul moyen d'enrayer cette situation, c'est de lutter ensemble avec la même devise, internationale : « Travailleurs, chômeurs, même combat ! »

En 1997, les manifestations de chômeurs en France, puis en Allemagne, furent un événement historique. Elles ont exprimé le rejet de cette honte aberrante, de moins en moins acceptée, et les revendications rationnelles d'hommes et de femmes solidaires, déterminés. Mais, autour d'eux, avec eux, manquaient le plus souvent les travailleurs, les salariés et les syndicats dans leur ensemble[1]. Leur place était pourtant là, semble-t-il. Comme celle des chômeurs auprès des salariés. Sans que les uns soient jugés telle une gêne pour les autres.

Cela devrait devenir l'expression d'une conviction intime, d'une indéfectible volonté d'union, et, encore une fois, à l'échelle internationale. Pourquoi laisser l'économie privée seule groupée, liguée, en dépit de prétendues compétitivités ? Pourquoi la laisser seule chanter une *Internationale* ? Et même la hurler !

Combien de temps les chômeurs, mais aussi les travailleurs précaires, la population pauvre (et qui, souvent, travaille), seront-ils mis de côté par tous les autres ? Combien de temps leur faudra-t-il se contenter de plans sur la comète et sera-t-il permis d'ignorer leur *présent* : celui des *millions* de personnes qui, au même moment, se débattent, une par une, au son de promesses vagues ? Et, répétons-le, combien de temps le concept de chômage, à tout prix préservé, demeurera-t-il un signe officiel de déchéance ; combien de temps la compensation due aux chômeurs[2] – ne serait-ce que pour se conformer aux droits de l'homme – sera-t-elle présentée comme un « assistanat » honteux dont les autres citoyens supportent le poids tandis que l'État, généreux jusqu'au gaspillage, répand une manne sur ces diminués, fainéants ou débiles, incapables de se

1. En France, seule la CGT fut alors partie prenante.

2. Compensation des plus parcimonieuse, mais somptueuse en regard de celle qui leur est dévolue ou refusée ailleurs, dans les pays anglo-saxons par exemple.

débrouiller seuls comme des grands ? En un mot, indignes et méritant de perdre leur propre estime ?

Et en prime, parfois, leur domicile avec !

Lorsque, au mois d'août 1999, un budget excédentaire aurait permis, en France, de prendre des mesures urgentes, comme de déclarer prioritaires l'augmentation des minima sociaux, le droit au RMI des moins de vingt-cinq ans, la suppression globale de la TVA, de tout autres propositions eurent la préférence. On put entendre décréter : « Il faut savoir si l'on veut une société d'assistanat ou une société de travail ! Il vaut mieux du travail pour tous[1] ! » Pas même « il *vaudrait* mieux » !

Est-on conscient de l'insulte faite aux chômeurs « assistés », en un temps où la société, *incapable* de leur offrir le travail auquel ils ont droit, tout aussi incapable d'imaginer un autre mode de vie décent, ou même de subsistance, ne leur concède – et avec quel mépris ! – qu'une compensation insuffisante et dégressive, susceptible de s'achever en « fin de droits » ? Une société si déficiente (comme celles du monde entier, et bien moins que certaines cependant) pourrait au moins faire preuve de modestie et s'employer, à défaut de savoir y remédier, à pallier d'urgence la détresse si répandue, immédiate et réelle, dont *elle* est responsable, dont nous le sommes tous. À ne plus prendre prétexte du fait qu'il vaudrait mieux qu'il se passe ce qu'elle est incapable de

1. *France Info*, 20 août 1999.

faire advenir, pour se permettre d'abandonner en route ceux qui en souffrent si cruellement, en les priant de patienter, de se montrer « réalistes » au nom de la « modernité ». D'être optimistes, que diable !

Rassurons-nous : l'excédent budgétaire en question ne fut pas gaspillé ; il conduisit à des mesures raisonnables, axées sur les classes méritantes, et se limita à une diminution de la TVA (de 20 à 5 %) sur un seul secteur : l'amélioration de l'habitat, présumée favorable à l'emploi. Et des plus agréable aux milieux aisés ou fortunés. Les millions de chômeurs en difficulté purent apprécier les économies qu'ils auraient pu faire si, à peine capables de conserver leur habitat, ils avaient eu, en plus, les moyens de l'améliorer ! Mais les 600 000 sans-abri, surtout, durent se réjouir de pouvoir, à moindre prix, installer le chauffage central dans leurs abris en carton, faire poser de la moquette sur les trottoirs et repeindre leurs stations de métro ! Mieux encore, ils pouvaient profiter de l'autre mesure prise grâce à cet excédent : la suppression d'une taxe sur les transactions immobilières, grâce à laquelle, s'il leur prenait la fantaisie d'acquérir le pont qui les protège (et qui est bien le seul), cette petite folie leur reviendrait moins cher !

Prétendre faire « profiter » un jour les chômeurs de la croissance en les laissant dans leur détresse immédiate, qui s'aggrave avec le temps et use les vies, sous prétexte de faire porter tous les efforts sur les statistiques à venir, sur des projets destinés à leur trouver du travail on ne sait trop quand, voilà qui serait à pleurer de rire s'il n'y avait là de quoi pleurer pour de bon, amèrement.

Certes, les efforts entrepris en vue de rafistoler la situation, de réduire le chômage, sont indispensables et bienvenus. Il vaut toujours la peine, mille et mille fois la peine de tenter d'en délivrer un nombre même infime de personnes – ne serait-ce qu'une, et sans certitude de réussir –, mais cela ne doit pas servir de prétexte pour laisser à leur sort tous les autres, « en attendant », ni pour dégrader les statuts de l'emploi et les faire partir de toujours plus bas : il est devenu courant que les salaires et les conditions de travail des nouvelles recrues soient inférieurs, et de beaucoup, aux précédents.

Les promesses redondantes de rétablissement (par le bas) parviennent à détourner l'attention du profit boursier, des fortunes et des stratégies bâties sur ces déséquilibres. Ce zèle mis à aggraver une situation déjà désastreuse passe d'abord par la protection de ce qui l'engendre ; il s'agit de préserver avant tout les budgets, les priorités et le fonctionnement dont elle découle : ceux d'un régime qui a pu s'établir sans recourir, lui, aux grands moyens.

L'idéologie actuelle a beaucoup à perdre à voir analyser froidement la question de l'emploi, sans tenir compte des postulats et des clichés en usage, mais en posant comme question première : pourquoi l'emploi n'est-il définitivement plus capable de remplir ses fonctions, et cela même lorsqu'il existe en chiffres quantifiés dans les statistiques ? Pourquoi, même en ne remplissant plus son rôle (surtout en ne le tenant pas !), l'employeur est-il si protégé, lui, à défaut de l'emploi ? Pourquoi les gens dans leur ensemble sont-ils tenus plus que jamais de s'ajuster aux causes de la pénurie, de la dégradation de l'emploi, alors que ces causes ne sont jamais supprimées ou modifiées en sorte de s'ajuster à ces mêmes gens ? Quelle est la raison véritable de cet acharnement à conserver superstitieusement la même place à l'emploi, alors que les sacrifices réclamés à cette fin sur sa qualité, sa rémunération, liés à la passivité qu'il exige, ont surtout pour effet de détruire les structures de la société, ravalée à un niveau toujours plus bas ?

Les réponses conduiraient, sans doute, à ne plus s'entêter à reconstituer une période révolue, mais à refuser l'imbroglio de fausses pistes, de ruses, de propagandes imposées à cet effet par la période actuelle.

Il est vrai qu'il s'agirait là d'une mutation acceptée, alors que, même cruelle, même injuste, comme le fut si souvent cette civilisation qui nous quitte, il n'est pas aisé d'en faire son deuil. Et cela ne nous est certes pas facilité ! Même les plus jeunes sont censés vivre dans le souvenir de critères dépassés, qui remontent souvent jusqu'au XIXe siècle, un temps bannis, aujourd'hui redevenus symboles de modernité.

Souvenir très particulier que celui de l'emploi lorsqu'il est hors d'atteinte. La dureté, la cruauté parfois de ce qu'il représentait n'est plus prise en compte : c'est là une des victoires d'une idéologie qui exige un assentiment inconditionnel, si longtemps espéré, qui n'avait paru vraiment satisfaisant que dans les colonies.

Cependant, ce que l'emploi a signifié en matière de survie, ou comme unique voie d'accès à une vie décente, comme condition *sine qua non* du droit au respect, ne s'efface pas avec son déclin, mais demeure toujours la seule référence. Même avec de tout autres rapports de force, nous sommes tenus d'en rester au même point. Celui d'une version périmée qui permet de s'assurer la passivité de la très grande masse des gens.

Or cette version-là, et son contexte ultralibéral, sont contestés par un bien plus grand nombre qu'il ne semble, et dans tous les pays. Sans nul doute par une majorité.

La classe politique a tort d'avoir peur de faire peur en reconnaissant publiquement la réalité. Ignore-t-elle que le nombre est considérable de ceux qui ont conscience de cette réalité et qui, lucides, lui font face ? Ceux-là n'ont pas *peur* : ils sont *indignés.*

Ils éprouvent un sentiment de délivrance lorsqu'ils peuvent déjouer la version dite rassurante, mais, au contraire, si angoissante, alors que l'espoir réside dans le fait de voir partagée une inquiétude qui n'est pas de la peur, mais démontre au contraire du courage, celui de voir clair malgré les camouflages et de s'avouer un souci très grave, hélas souvent vérifié, que l'on voudrait voir pris en compte par ceux qui sont officiellement en charge, et dont on attend qu'il soit mentionné au lieu de ces allusions à des croissances vertigineuses qui ne changent rien à la situation, qui se font si souvent à coups de licenciements, et qui n'empêchent pas, mais créent le *workfare*.

Si la contestation actuelle ne s'est pas manifestée davantage et n'est guère représentée, une volonté d'opposition existe, impressionnante. Je l'ai rencontrée au cours de multiples débats, en France et en bien d'autres pays, chez des milliers et des milliers d'hommes et de femmes de tous milieux, de tous âges, très informés, très réfléchis, savants sur ces questions, et que j'ai admirés pour leur courage face à ce qu'ils ne se cachaient pas, à ce qu'ils affrontaient depuis longtemps, dont ils se disaient rassurés de pouvoir parler, de se découvrir nombreux, de ne plus se croire isolés chacun dans leur calme détermination à résister.

Je me souviens qu'au début de l'automne 1997, comme je revenais d'Amérique du Sud et d'Allemagne, des journalistes me demandèrent quelle avait été la différence entre les questions posées, les réactions rencontrées dans les pays que j'avais visités. Il m'est alors apparu qu'entre des gens chaque fois très différents, il n'y en avait pas eu, hormis sur certains points mineurs liés aux conditions locales. Questions et réactions étaient partout semblables. Presque chaque fois, à la fin, alors que je n'avais pas prononcé le mot, quelqu'un se levait dans la salle et déclarait posément qu'il fallait « résister ». En France était parfois employée la belle expression : « entrer en résistance ». Toute la salle applaudissait. Partout nous nous voyions vivre sous un même système, conduit par le même régime inavoué. La même idéologie ultralibérale sévissait partout, partout génératrice des mêmes problèmes, même s'ils revêtaient plus d'âpreté dans les pays plus pauvres. Partout chacun semblait avoir conscience de l'origine de la situation, du caractère politique de l'emprise économique qui était cause de tels dégâts. Partout il m'avait semblé poursuivre, toujours si vivants, modulés, les mêmes échanges autour du même refus.

Une opinion publique mondialisée existe, convaincue, mais chacun a encore tendance à se croire solitaire lorsqu'il en fait partie. Dans ce malentendu gît l'essentiel. Cette lucidité, ce refus d'une propagande colossale, efficace et rusée, démontre la qualité poignante de ceux que l'on voudrait mener à leur perte.

En sommes-nous conscients ? Si l'emploi disparaît ou se dégrade, le travail, lui, demeure plus que jamais disponible, nécessaire et vacant, mais négligé, interdit ou même consciemment éliminé, comme si, pour supprimer le chômage, il était indispensable de restaurer seulement les postes qui dépendent du bon plaisir ou des possibilités d'entreprises qui ne dépendent plus de l'emploi – dans un régime exclusivement fondé sur une rentabilité qui exige au moins des restrictions dans tous les secteurs dont la civilisation ne peut se passer. Les métiers, les professions les plus indispensables sont considérés comme oiseux, ringards, voire nocifs en regard des budgets, puisque sans liens avec les méga-bénéfices obtenus de la spéculation.

Pourquoi, dès lors, former les « jeunes » à des professions jugées parasitaires et trop coûteuses ? Mais, d'un autre côté, à quoi les « employer » ? Les entreprises se dérobent, même subventionnées, même une fois les subventions encaissées. Quant au secteur public, il a pour vocation de rétrécir, du moins est-il sommé de le faire. Reste à occuper ces jeunes gens, ces jeunes filles à l'orée de leurs destins, ne serait-ce que pour les faire tenir tranquilles et les garder éloignés du chômage officiel, celui des statistiques.

D'où les « petits boulots » vite bricolés offerts à ces générations dont l'avenir grand ouvert est si vite clôturé. À eux les stages temporaires, les formations bidon, les ersatz d'emplois dont l'indécence sera dissimulée sous des titres ronflants, dignes de M. Homais [1]. Toutes propositions de pacotille, à peine rétribuées, qui empiètent sur leur temps, si précieux à cet âge, mais autour desquelles, privés d'autres issues, les « jeunes » se bousculent tout en demeurant face à la vacuité de leur avenir, à l'instabilité d'un salaire aussi précaire que dérisoire, à une vie qui frôle la misère lorsqu'elle n'y bascule pas. Et qui interdit l'autonomie.

Quelle meilleure formation qu'un début dans la vie aussi réaliste ? Nous ne semblons guère scandalisés qu'il soit tenu pour un moindre mal, et même pour naturel, tant cette dégradation de la vie sociale passe pour légitime, tant elle est homologuée. Si peu analysée qu'elle est donnée à la fois comme sans alternative,

---

1. « Agent » de ceci, « animateur » de cela, « chargé » d'autre chose. Qui s'inquiétera de voir un diplômé en biologie devenir, faute de mieux, « coordinateur de qualité-tri », c'est-à-dire collecteur de poubelles ou, si l'on préfère, éboueur ?

comme la conséquence des fatalités ingérables d'une « mondialisation » invincible, et comme un épisode accidentel, passager, un effet du hasard qui sera liquidé, vite fait !

En attendant la concrétisation de ce dernier projet on ne peut plus hypothétique, considérons ces emplois placebo : soit ils sont sans intérêt, une perte de temps pour tous, un gaspillage, un alibi ; soit ils ont une valeur, un sens. Dans ce cas, soit ils sont occupés par des amateurs incompétents qui prennent la place de professionnels écartés et sans doute au chômage, car plus chers et mieux protégés légalement ; soit ils sont bien accomplis, auquel cas ceux qui les remplissent sont non seulement dupés, mais cyniquement floués, non seulement payés au rabais, mais savamment exploités au lieu d'être embauchés et rémunérés de façon équitable, stable et professionnelle.

Comment ces jeunes, au mieux livrés à de précaires semblants d'emplois, deviendraient-ils solidaires, ainsi dispersés dans un *no man's land* professionnel, dans cette caricature de vie active pour laquelle ils sont censés éprouver de la gratitude ? Un tel agencement factice des années si déterminantes de leurs vies, un tel gaspillage donnent le vertige ! Plus encore si l'on songe à ce dont on est supposé ainsi les sortir. Tant de dynamismes, de virtualités moqués, d'espoirs interdits, qui souvent se transforment en une vaine et nostalgique vénération de la vie salariée, celle, autrefois classique, qui leur est toujours donnée pour seul modèle, tout en leur étant refusée.

L'angoisse, la vacuité antérieures reprennent leurs droits à la fin de chaque expérience, si brève, mais prévue pour être telle. Avec, pour seule consolation, le temps qui passe et qui leur permettra d'atteindre l'âge de vingt-cinq ans, qui leur donnera droit au RMI. Auprès d'un tel projet de vie, que demander de plus ?

Le premier « petit boulot » venu se voit considéré tel un miracle, tout emploi à mi-temps tel un rare privilège, tout contrat à durée indéterminée tel un rêve insensé. Il est bien loin le temps où, à juste titre, l'emploi, ses conditions, son existence même étaient sujets à critiques, à revendications.

Aujourd'hui ? Soumission programmée ! L'emploi sacralisé, qui se tarit, la « flexibilité » – et d'abord celle d'une échine flexible – exigée, le risque de perdre ou de ne pas trouver ou retrouver un salaire, et de subir alors et la pénurie et le rejet, ne sont guère des facteurs de subversion, non plus que cette impression d'impuissance face à la « mondialisation », supposée exprimer une volonté divine devant laquelle il faudrait, confus, dire merci à la ronde, merci éperdument à tout ce qui ne vous abat pas tout de suite ou pas absolument.

Mais les métiers, les professions ? Folies d'un autre temps ! Relégués, comme s'ils appartenaient à une mémoire lointaine, à ce luxe désormais désuet que peuvent seuls se permettre encore quelques privilégiés, eux-mêmes de moins en moins assurés d'en bénéficier, et déjà oscillants.

Folies d'un autre temps ? Perversité du nôtre, plutôt ! Qui semble avoir oublié tant de métiers, de professions qui abondent, qui attendent en vain la jeunesse, mais aussi tant d'adultes empêchés d'exercer les leurs ! Des métiers, des professions, des emplois ignorés, réduits ou supprimés, qui représentent pourtant d'immenses « gisements » (pour employer le jargon actuel) de travail, d'emplois dans des secteurs fondamentaux, souvent cruciaux, qui manquent cruellement d'effectifs tandis que le chômage est déploré, les chômeurs laissés pour compte, la société elle-même dégradée en raison de ces carences.

Nous manquons d'enseignants, même pour le nombre insuffisant de classes existantes, aux élèves trop nombreux ; nous manquons de juges, de greffiers, de personnel dans les transports, de gardiens de prison, de policiers ; nous manquons d'éducateurs, d'inspecteurs du travail, de gardiens de musées ; nous manquons d'infirmières, lesquelles sont scandaleusement sous-payées, comme le sont les éducateurs et tant d'autres professions d'une importance capitale. Nous manquons de médecins, de chirurgiens, d'obstétriciens, d'anesthésistes, d'urgentistes[1] dans des hôpitaux souvent fermés sous ce prétexte ! Une liste à n'en pas finir de profes-

1. Lorsque 1 500 urgentistes sont nécessaires et réclamés, il en est accordé 85.

sions, de postes, d'emplois, de métiers indispensables, d'une nécessité souvent cruciale, et pourtant supprimés ou laissés en friche, alors que les professionnels sont tenus à l'écart, souvent privés d'emploi. Alors que l'on déplore que le chômage attende tant de jeunes et que ces métiers, ces professions attendent d'être assurés tandis que les nouveaux venus sont, au mieux, formés à des tâches inutiles.

Car l'idéologie ultralibérale, qui profite financièrement des licenciements en masse, exige de surcroît la suppression de postes vitaux, en nombre déjà scandaleusement insuffisant, au nom de baisses drastiques des « déficits publics » qui sont, on ne le répétera jamais assez, les seuls vrais *bénéfices* de la société. Néanmoins, de tels bénéfices exemplaires, mais non marchands, non convertibles en termes de spéculation, représentent un gaspillage aux yeux de l'économie privée, des ressources détournées de ses élans profitables, que ces déviations, estimées « archaïques », risqueraient d'entraver. Ce ne sont, il est vrai, que des sources de bénéfices pour la vie de chacun, pour les générations futures, pour la société, la civilisation. Des bénéfices qui vont surtout à ceux qui, d'ordinaire, n'en font pas : un scandale aux yeux de ceux qui, raflant tous les autres, voient ceux-là leur échapper.

Certes, les dépenses publiques doivent être sérieusement contrôlées, mais alors mises à plat publiquement, dans un souci de bonne gestion, non dans l'hystérie, non dans un climat de chasse aux sorcières, d'exorcismes et d'expiations.

Pourquoi ne pas mettre d'abord en avant les besoins réels de la société, par exemple en matière de santé, et, *à partir de là*, élaborer le budget sans exclure qu'il puisse falloir... l'augmenter ? Une nation incapable de se le permettre ne peut être estimée le moins du monde prospère. Elle figure, en réalité, dans la catégorie des pays sous-développés.

Une société décente ne devrait pas redouter ces dépenses, les vilipender, mais se targuer au contraire de faire profiter très généralement ses membres des potentialités et des progrès, surtout ceux de la médecine. Il est malsain, irrationnel d'avoir honte de ces dépenses au lieu de s'en féliciter. De se vanter de les comprimer, d'en maintenir les avantages vitaux hors de portée, au lieu de se flatter d'en faire usage.

À quel état d'esprit avons-nous été conditionnés, la classe politique et nous, pour accepter un tel détournement de la norme et d'une certaine justice, pourtant si banale ? Sommes-nous aux prises avec une telle faillite ? D'où proviendrait alors la folle et stérile prospérité des marchés financiers, de la spéculation ? Est-ce en faveur de tels gaspillages qu'il nous faut subir de telles économies ? Est-ce en leur faveur encore que l'on sacrifie allègrement les futures générations ? Le faut-il vraiment sous prétexte d'éponger des dettes ? Mais des dettes à l'égard de qui, décidées par qui, au sein de quoi ? Ne pourraient-elles pas être effacées ou amoindries sans nuire à personne, si ce n'est aux bénéficiaires des échafaudages construits pour en arriver là ?

Ces dettes que l'on nous persuade d'éponger par priorité pour éviter d'en faire hériter les générations prochaines, dont on sacrifie ainsi et aussitôt l'éducation, la santé, l'environnement, le pouvoir d'achat (nous avons vu que leurs salaires sont inférieurs à ceux de leurs aînés), mais aussi les valeurs, l'espoir et l'avenir pour mieux leur épargner... quoi ? d'avoir justement à en arriver là ?

Si le chômage n'existait pas, le régime ultralibéral l'inventerait. Il lui est indispensable. C'est lui qui permet à l'économie privée de tenir sous son joug la population planétaire tout en maintenant la « cohésion » sociale, c'est-à-dire la soumission.

Sa politique s'emploie donc à en maintenir le concept dans un contexte où il n'a plus sa place et menace chaque individu, à peu d'exceptions près. Quel moyen de contrainte plus efficace ? Quelle meilleure garantie de « paix sociale » ?

À condition, toutefois, de ne pas bousculer le vieil ordre des valeurs relatives au chômage et à l'emploi, de pousser les uns à sa vénération, même si les autres le piétinent. De juger « archaïque » tout souci lié à ceux qui subissent le maintien d'une telle situation, et toute critique d'une modernité qui consiste à faire en sorte que l'emploi demeure aussi fondamental pour les uns que le profit l'est pour ceux dont il dépend – alors qu'emplois et profits deviennent incompatibles. Donc, à condition d'éviter toute réévaluation, toute mise au jour, toute mise à plat du système actuel.

D'où l'exaltation du culte de l'emploi à mesure que l'emploi disparaît, et la focalisation sur lui de toute vie sociale et politique, alors que le chômage se répand. Il s'agit, tandis que ce dernier s'incruste, structurel, d'imposer une version de l'emploi qui donne sa rareté pour accidentelle et furtive, sur le point de disparaître – et de dédramatiser ainsi, très officiellement, la situation des chômeurs. De faire entendre qu'un peu de patience leur est seule demandée et qu'ils seraient bien ingrats de ne pas être émus par tout le mal qu'on se donne pour eux tandis qu'ils ne font rien, par l'effort inlassable déployé afin d'encourager leurs illusions à propos de promesses supposées déjà virtuellement tenues, puis de témoigner de cette confiance en ne traitant pas leurs problèmes, jugés pratiquement résolus.

Cette bonne conscience permet d'insinuer que l'état des chômeurs ne doit rien aux carences de la société, mais à leur propre incapacité, malchance ou maladresse. Ou encore à leur paresse. En fait, ne pourrait-on soupçonner d'abus de biens sociaux ces gens « qui ne travaillent pas, ne cherchent pas de travail[1] » et se prélassent ?

D'où la nécessité d'« inciter » au travail ceux auxquels

---

1. Claude Imbert, *LCI*, 3 septembre 1999.

on est incapable d'en offrir, et de rendre leur situation plus insupportable encore afin d'exaspérer leur désir d'en sortir, mais sans leur en fournir les moyens. N'importe ! Le problème n'est pas aisé : comment « inciter » ces bienheureux nantis du RMI, dans ce pays, la France, il est vrai plus généreux que d'autres (!), mais où le salaire minimum ne représente guère plus que l'ensemble des allocations diverses ? Or, ce qui scandalise les autorités et les inquiète, ce n'est pas la modicité effarante des salaires minima, mais la magnanimité déplacée des allocations ! Puisque seuls une pauvreté croissante et des droits décroissants peuvent conduire à accepter ces salaires et ces conditions de travail et de vie, un pareil pactole est scandaleux, se lamente le chœur des décideurs qui sait bien, pourtant, à propos des exclus de l'emploi, que c'est l'emploi lui-même qui est déjà exclu.

Il est cependant permis de prévoir qu'affaiblis par leur appauvrissement, mais tout autant par l'opprobre ambiant, ces exclus se laissent au moins oublier ailleurs que dans les statistiques, et demeurent absents autrement que dans leurs chiffres. Voire définitivement absents, une fois en fin de droits.

Pour les utopistes du XIXe siècle, la fin du travail signifiait le bonheur, un but suprême revendiqué. Il n'y a guère, l'idée même d'une disparition de l'emploi, grâce à la cybernétique, était encore considérée comme une utopie, un événement hautement souhaitable mais qui avait fort peu de chances de s'accomplir ; presque de la science-fiction, mais qui faisait parfois rêver. On supposait très naturellement que des tâches souvent pénibles, sans intérêt, non choisies, feraient place à d'autres, plus significatives et gratifiantes, donnant lieu à des vies plus épanouies, mais aussi plus utiles ! En fait, on était persuadé que l'emploi au sens strict ferait alors place au travail véritable en même temps qu'aux loisirs, à du temps libéré. Comment aurait-on pu imaginer que son évanouissement engendrerait davantage d'angoisse, de misère et cette déstabilisation mondiale de la société, cette obsession croissante et sans précédent de l'emploi sous la même forme, dont l'absence ne soulagerait pas, mais désespérerait ? Et que cette absence, devenue une présence obsédante, constituerait un tel danger ?

Comment imaginer que la notion de labeur s'accentuerait, faisant régresser au temps où les « patrons » l'étaient de droit divin, et que le « progrès » consisterait à leur reconnaître un pouvoir bien plus exorbitant, toujours plus tyrannique, étendu à une emprise totale et sans plus de frontières ? Un pouvoir devenu une puissance anonyme, abstraite, hors d'atteinte, qui déterminerait la politique planétaire ?

L'idée ne venait à personne – mais qui avait alors la moindre idée en ce domaine ? – que cette utopie se matérialiserait en faveur des maîtres sans identité d'une économie privée débridée, délirant dans la spéculation, et qu'elle créerait pour eux un espace de non-droit, en fait une *nation virtuelle*, prépondérante, fondée sur leur idéologie, et qui, forte de ce non-droit, s'octroierait tous les droits. On n'imaginait surtout pas que, face à cette puissance toujours plus autonome, divorcée d'avec la société, le nombre ne serait plus considéré comme un atout, une force capable de susciter des événements ou de leur faire obstacle, mais comme un handicap en soi.

La cybernétique n'est pas seule en cause, elle n'est pas responsable par elle-même : la faute en incombe à l'usage, puis à l'exploitation qui en ont été faits, afin de donner accès sans encombre à un totalitarisme feutré, qui ne dit pas son nom.

La vigilance a fait défaut. Il eût fallu pressentir l'impact des nouvelles technologies et préparer politiquement, légiférer leurs effets, prévenir ainsi leur détournement. Ce n'était pas difficile, à l'époque où cette situation neuve n'était pas encore prise en otage, de l'envisager politiquement au lieu de la laisser, elle, dénaturer le politique.

Or, chacun a poursuivi son chemin sans prendre garde à ce qui pouvait représenter un immense espoir, ou compromettre dramatiquement l'équilibre de l'humanité ; pendant des décennies, nul n'a tenu compte de son existence alors potentielle, non pour la refuser en bloc, mais pour accueillir, au contraire, celles de leurs virtualités, encore toutes réalisables, qui pouvaient se révéler favorables à tous.

Comment n'a-t-on pas modifié les concepts mêmes du travail, de l'emploi et de la société, afin d'obtenir des conséquences rationnelles et bénéfiques, mais surtout non pernicieuses, de progrès technologiques qui, par eux-mêmes, promettaient tant ?

Il est hallucinant que la place prise par des machines n'ait pas été au fur et à mesure compensée, éventuellement par un autre mode de vie, en fonction de la nouvelle conjoncture, et qu'on n'ait pas cherché, mais aussi tôt, comment remplacer ces emplois dont on s'apercevait certes qu'ils disparaissaient, mais sans songer à remédier au phénomène, à prévoir comment le compenser à l'avantage des personnes lésées.

Prises dès le début, de telles initiatives eussent semblé évidentes et n'auraient guère rencontré d'oppositions ; il eût été facile de les gérer, chaque fois, en regard des circonstances nouvelles. D'accueillir ces progrès technologiques, mais en refusant leurs capacités de nuisance. Peu d'intérêts étaient encore investis dans leurs conséquences. Tout pouvait être joué.

Mais cette phase cruciale de l'histoire de l'humanité s'est déroulée au sein d'une inattention inconcevable, d'autant plus qu'il n'y avait alors guère d'intérêt à la susciter, et certainement pas ceux qui se manifesteraient ultérieurement.

Mais, plus inconcevable encore, nous en sommes toujours là !

Nous n'avons pas affronté le problème, et l'avons encore moins analysé. Le temps, qui s'est accumulé, fait paraître ces fléaux comme traditionnels, normaux, car imputables à un phénomène incontournable, et non aux négligences dramatiques qui l'ont, au contraire, ignoré.

Ainsi, dès le début, c'est de façon empirique que l'économie privée en a d'abord usé comme d'une commodité, pour prendre conscience peu à peu, mais avant les autres, de l'arme qu'elle détenait – et de la révolution que la cybernétique lui permettait d'opérer tout en la dispensant de descendre ouvertement dans l'arène politique.

En effet, ces masses d'hommes et de femmes dont on n'avait pu jusque-là se passer, mais si coûteuses – ces empêcheurs de profiter en rond, toujours en alerte, toujours à contester, réclamer, lutter, toujours à mettre en cause la hiérarchie, à parler de justice –, voici qu'elles devenaient de moins en moins nécessaires, en particulier à l'économie privée, tout en dépendant d'elle de manière accrue. Les exploiter en valait à peine la peine ! Une aubaine ! Un vrai cadeau des dieux !

La marche à suivre, dès lors ? Réduire évidemment le coût de l'emploi, mais démultiplier sa valeur abstraite et – sous la dénomination de « travail » – son prestige ; veiller à ce que, de moins en moins utile aux employeurs, l'emploi devienne de plus en plus indispensable à ses détenteurs, si fragiles, comme à ses demandeurs rejetés.

Nous connaissons la suite. Mais la suite de cette suite ? Saurons-nous y être attentifs, c'est-à-dire attentifs au présent, derrière ses mascarades ? Mieux vaudrait cesser une bonne fois d'offrir au régime despotique, par nos défauts de vigilance, le plus beau des cadeaux qu'il puisse espérer.

L'optimisme réside dans la confiance en une mobilité permanente de la politique et de l'Histoire, en la possibilité permanente de lutter pour s'opposer aussi bien que pour conserver : l'une des raisons d'être de la démocratie. Refuser d'accepter ce que l'on juge nocif, combattre sans la certitude, mais avec l'espoir de vaincre, n'est-ce pas une forme majeure de l'optimisme, qui consiste d'abord à ne jamais se résigner[1] ? En revanche, juger seul possible un certain modèle de société fondé sur une dénommée « économie de marché », prétendre qu'il n'y a pas d'alternative et, face à ses conséquences déplorables, affirmer qu'il faut s'y ajuster, quel exemple flagrant de pessimisme !

---

1. Existe-t-il pire forme de pessimisme, et plus délétère, que de prendre à son compte et de proposer, comme le fait Pascal Bruckner, la formule : « *If you can't beat them, join them* » (si vous ne pouvez les battre, ralliez-les), qui aurait pu aussi bien servir de devise à la Collaboration ? (*Le Monde*, 2 avril 1998.)

Il se trouve qu'un événement s'est produit le 9 septembre 1999, l'avant-veille du jour où j'écris cette page, qui démontre bien comment joue l'illusion. Il s'agit de l'annonce par la firme Michelin de bénéfices en hausse de 17 %, soit près de deux milliards de francs, au cours du premier semestre 1999, avec des perspectives favorables ; et, simultanément, du licenciement de 7 500 employés, soit le dixième des effectifs, étalé sur trois ans. Le jour même, la valeur du titre faisait à la Bourse un bond de 10,56 %, le surlendemain un autre de 12,53 %. Classique ! Les annonces de licenciement ravissent les actionnaires, les stimulent encore davantage que les bénéfices.

Devenu d'autant plus révoltant que fort banal, ce genre de scandale ne devrait plus surprendre, encore qu'il soulève le cœur chaque fois. Pourtant, c'est l'abasourdissement général, comme devant un phénomène inédit, résultant d'une initiative que l'on n'aurait jamais pu imaginer. Certes, l'indignation provoquée par Michelin ne saurait être plus justifiée, mais cet effet de surprise, d'ahurissement soudain, comme s'il s'agissait là d'une première, souligne une certaine distraction quotidienne ! Comment pareille calamité a-t-elle pu se produire ? Personne n'en croit ses yeux ni ses oreilles. Or c'est cette stupeur même qui pourrait stupéfier. Était-on si aveugles, si naïfs, si étourdis, si peu vigilants pour que, du jour au lendemain, chacun découvre ce qui est depuis beau temps devenu la routine ?

Certes, mieux vaut tard que jamais, si s'accumulent

et se bousculent des jugements indignés face à la « découverte » de ces abus, jusqu'ici réitérés sans grands remous, avec surtout des réactions locales, d'ailleurs autorisées. Mais cet opprobre soudain n'empêchera pas le rabâchage classique affirmant que la croissance engendre automatiquement tous les emplois voulus, alors même qu'elle s'active sous nos yeux à en supprimer. Il en faudrait bien plus pour troubler l'obstination des uns et des autres à exalter cette croissance, mère de l'emploi, qui exige de tout lui sacrifier, y compris... les emplois !

Croissance qui n'est pas celle de vagues « richesses » promises à des répartitions plus vagues encore, mais celle des bénéfices partagés entre dirigeants et actionnaires, pactole que l'abaissement du coût du travail permet de démultiplier.

On voit à quel point le slogan « Priorité à l'emploi ! » se trouve démenti par les intérêts poursuivis dans l'univers des entreprises, pourtant donné comme la source même, la providence des emplois. Il faudrait être bien crédule pour espérer voir ceux qui s'en passent si bien, et même en profitent, ralentir le pudique « abaissement des coûts » du travail, moins encore y renoncer alors qu'il fait s'envoler les cotes boursières et bondir les profits. « Priorité au travail », pourquoi pas ? Ça ne mange pas de pain. Mais leur enthousiasme éclaterait mieux encore au cri de « Priorité aux licenciements » !

L'affaire Michelin crée l'affolement, mais alors que tous protestent, ou presque, personne n'y peut rien, car il n'existe pas de législation permettant d'interdire ou même de freiner de telles opérations[1]. L'autorisation administrative de licenciement n'est plus nécessaire, supprimée en 1986 ; sans elle, il n'existe aucun autre recours, sinon de vagues procédures sans efficacité.

Juger inacceptable la décision de Michelin, odieusement courante, c'est la moindre des choses ; mais alors, pourquoi demeure-t-il impossible de ne pas l'accepter ? Pourquoi n'existe-t-il aucune mesure capable de s'opposer à ces aberrations ? Ni aucune défense efficace pour prémunir les travailleurs contre de tels préjudices, faute de lois votées à cet effet ? La réponse tient dans la cohérence, qui devrait sauter aux yeux, entre ces menées et la forme de société jugée seule viable, célébrée comme seule « moderne » et seule « réaliste », celle exaltée sans réserve sous l'étiquette d'une « économie de marché » chaque jour plus spéculative.

Cette ardeur à licencier figurant parmi les piliers de ce qui nous tient lieu d'« économie » à l'échelle mondiale, il n'est pas étonnant de la voir protégée et donc encouragée par la loi, ou plutôt par une absence de

1. L'article de la seconde loi Aubry sur les « trente-cinq heures », visant à empêcher tant soit peu la réédition de telles vagues de licenciements dans des entreprises prospères, a significativement été blackboulé par le Conseil constitutionnel début 2000, à la satisfaction profonde et contenue du patronnat. Parmi les attendus de cette décision, le principe d'égalité devant la loi. Un cas de plus où cette égalité devant la loi protège l'inégalité devant la vie.

lois[1], ce qui revient au même et nous livre aux rites obsessionnels des maîtres du sacro-saint profit, présenté comme bénéfique à tous, en particulier sans doute aux heureux licenciés...

Ce sont là des mœurs devenues traditionnelles, d'une logique cohérente et d'une cruauté consciente, mais censées être justifiées puisque exercées par l'« élite » sur la masse des autres, regardés comme d'une espèce différente, par nature subordonnée, n'offrant d'autre intérêt que de servir les puissants intérêts qui vont à l'encontre des siens. Des intérêts auxquels nul ne peut s'opposer sans déclencher aussitôt ces chantages à la délocalisation, à la fuite des capitaux, brandis avec une indignation vertueuse, sans la moindre vergogne, qu'ils soient licites ou non !

Qui prendra le risque de s'attaquer au sempiternel chantage à l'emploi ? Cet emploi qui semble avoir désormais pour fonction première de servir de prétexte à ce même chantage ? Chez Michelin, nous avons eu droit, comme il sied, à la prestation du directeur de l'entreprise, M. Coudurier, récitant la comptine bien connue selon laquelle la firme – qui a réduit ses effectifs de moitié (de 30 000 à un peu moins de 15 000) en quinze ans, au cours desquels elle s'est offert dix de ces plans allègrement baptisés « sociaux » (!) – mène depuis toujours une politique efficace en faveur de l'emploi, qu'elle

1. Tout aussi classique, le fait d'édicter des lois, mais sans aucune sanction en cas d'infraction. Pieuses intentions !

n'a cessé de sauver... à coups de licenciements collectifs. Propos qui ne méritent même plus un point d'exclamation.

Plus révélateur encore : au sein de l'ébahissement général, on a cependant reçu sans commentaires, comme allant de soi, le fait qu'« améliorer la productivité d'un minimum de 20 % » en trois ans, renforcer la compétitivité ou prévoir une augmentation de l'augmentation des profits, impliquait tout naturellement la décision de licencier en masse, et tout aussi évidemment la priorité donnée à la productivité sur la production, aux actionnaires sur les consommateurs. Ne parlons pas même des employés !

Nul n'ignorait donc le mode d'emploi de l'emploi suivi par l'économie privée, ni les méthodes brutales liées à la divine croissance, manifestement en contradiction avec le cri sacré : « Priorité à l'emploi ! » Seule une propagande intensive parvient à persuader que la croissance résout la question de l'emploi, alors que nous avons quotidiennement la démonstration du contraire, la preuve de l'incompatibilité croissante de la croissance des profits avec la défense et le maintien de l'emploi.

Aussi existe-t-il une certaine naïveté, qui n'a rien d'anodin, dans le soin mis à tancer M. Michelin et ses pareils, à déplorer leur « manque de cœur », à leur prêcher de « bons sentiments », tout en espérant les attendrir, ou même les effrayer, rien qu'en leur faisant remarquer à quel point ils ne sont pas gentils, et combien il est répréhensible de préférer son propre intérêt au Bien général. En fait, les hommes ne sont pas en cause, ni leurs caractères ; ils sont prévisibles, fidèles à leurs rôles, dociles à leur répertoire. Il ne s'agit pas ici de psychologie ou de morale, mais de Droit, sans lequel on peut toujours causer !

Si ces décisions correspondaient au bon plaisir de M. Michelin et qu'il lui était loisible de les prendre, si rien ne s'y opposait, pourquoi s'en serait-il privé ? Par bonté d'âme ? Mais ses sentiments ne sont pas notre affaire. Et chacun sait que l'intérêt, pour beaucoup, a ses raisons que leur cœur ne voit aucune raison de méconnaître ! Les décisions de leurs actionnaires importent bien davantage aux dirigeants de sociétés que l'approbation du reste de leurs contemporains. M. Michelin suit sa logique et celle de ses clones (plus anonymes, d'ordinaire), conforme à celle, dite « réaliste », jugée seule « moderne » par les propagandistes d'une idéologie qui est la sienne, même si ces derniers lui reprochent eux aussi d'avoir été trop voyant, maladroit et brutal, mais uniquement... dans ses effets d'annonce, qui furent pourtant des plus ordinaire.

Y compris chez Michelin. Il se trouve que, près de trois ans plus tôt, le 18 mars 1997, j'étais à Clermont-Ferrand, invitée à parler de *L'Horreur économique*. Or, il n'était question ce jour-là, dans la ville, que des licenciements en masse qui venaient d'être annoncés presque en même temps que des bénéfices considérables. Les chiffres étaient tout de même moins importants qu'aujourd'hui, et l'annonce en avait été faite en deux temps, moyennant un intervalle très bref. Les faits étaient les mêmes, le cynisme aussi. Or qui à l'époque s'en émut, ou même le remarqua ? Il est vrai qu'il s'agissait déjà de la banalité même.

L'effet de coup de tonnerre provoqué en septembre 1999 par la répétition du même événement, dont l'équivalent se produit chaque jour en France et ailleurs, dans le reste du monde, paraît d'autant plus étrange et révélateur de la « distraction » générale, de cette grave résistance à la réalité qui sont tout aussi inquiétantes que les phénomènes ainsi esquivés.

Michelin n'a fait qu'appliquer l'ABC de l'économie « moderne ». S'est-on ému de ce que, simultanément, sont venues s'ajouter, aux 7 500 emplois ainsi supprimés, l'annonce de 2 000 autres (mais sans doute davantage) rayés des effectifs du fait de la fusion Elf-Totalfina, ou celle de 450 licenciements chez Épéda ? Cela, durant la même période et pour un seul pays. Restent les autres, tous les autres, qui n'en font pas moins.

Mais le crime impardonnable de Michelin, c'est d'avoir « mal communiqué ». Peut-être était-ce volontaire : une annonce bien spectaculaire, destinée à galvaniser les investisseurs des fonds de pension ? Il n'empêche, ce fut un tort. Le seul que M. Michelin junior, responsable de cette bévue, ait bien voulu reconnaître. Il admet que, s'il importe peu de licencier, par temps de chômage, de pénurie d'emplois, 7 500 personnes d'une firme extrêmement florissante et bénéficiaire, encore faut-il le faire poliment, et surtout expliquer « pédagogiquement » à quel point c'est raisonnable, combien ces licenciements sont bénéfiques à l'emploi, utiles à la lutte contre le chômage, pieusement pratiqués pour le bien de tous. Chacun ne pourra dès lors qu'approuver, applaudir et remercier l'homme de la situation d'avoir si bien et si courtoisement respecté le droit à l'information.

M. Michelin fils avoue s'être senti « tout petit » à l'idée de s'être montré aussi « maladroit ». Mais il débute, et, d'ailleurs, il innove déjà, car, « pour le groupe Michelin, un tel *mea culpa* est une première [1] ». Poignante démarche, pénible calvaire que ceux d'Édouard Michelin : « Une période lourde à supporter. Même douloureuse... Nous n'avions pas suffisamment préparé l'opinion, notre annonce l'a surprise et choquée. » Tant il est vrai que la « préparation de l'opinion » (son conditionnement) est le fondement de la politique ultralibérale. Il suffisait au jeune Édouard de dire que, « puisque la compétitivité », « puisque la concurrence », « puisque la croissance sans laquelle pas d'emplois », « puisque le marché », « puisque pas d'alternative », « puisque », selon tout ce que l'on a fait ingurgiter d'arguments accumulés qui se corroborent, « on n'avait pas le choix, puisqu'on ne pouvait pas faire autrement » ; il lui suffisait encore de garder par-devers

1. *Libération*, 15 novembre 1999. Les citations suivantes proviennent de la même source.

soi, sous-entendu : « puisque des bénéfices énormes ne sont pas suffisants, puisque les salariés sont en somme superflus », pour obtenir le plus franc succès !

Pour autant, dans sa peine infinie, le jeune M. Michelin, après tous ses efforts, avoue ne pas comprendre pourquoi l'État ne l'aiderait pas à financer son « plan social », à indemniser les licenciés dont le départ va rendre encore plus bénéficiaire sa firme, qui l'est déjà. Son argument est sans réplique : puisque cette firme a l'infinie bonté de payer ses impôts, taxes et cotisations, comment oserait-on ne pas l'en récompenser ? Payer les frais du malheur qu'elle a engendré afin de s'enrichir serait la moindre des choses. D'autant plus que l'État ne s'est jamais dérobé à l'occasion de chacun de ses dix « plans » résolument « sociaux », des 15 000 licenciements auxquels sa vaillante firme a déjà procédé au nom de sa lutte fervente pour l'emploi, menée selon les principes de l'orthodoxie moderne, si efficace, on le voit.

Comme un bienfait ne vient jamais seul, quelques jours après Michelin, une autre entreprise française administrait la preuve de sa « modernité » : Renault, une fois encore (n'oublions pas Vilvorde[1]), à l'occasion du

1. À Vilvorde, en Belgique, une usine Renault, rénovée deux ans plus tôt, était considérée comme un modèle cité en exemple aux autres usines du groupe. Les salariés, particulièrement performants, avaient consenti des sacrifices, sur leur rémunération notamment, pour accroître son rendement. En 1997, l'usine, bénéficiaire, fut fermée sans raison valable, et ses salariés licenciés.

rachat de la firme Nissan, très importante au Japon. Cette fois, 21 000 salariés licenciés, cinq usines fermées. Et, cerise sur le gâteau, 20 % de réduction des achats de pièces détachées à de petites et moyennes entreprises sous-traitantes, certaines promises à la faillite.

Eh bien, cela s'est passé à merveille, sans guère susciter de réactions : le Japon, c'est si loin ! Et, là-bas, qu'y peuvent-ils ? Vu de France, cela vous avait une certaine gueule, un air de conquête, ces Gaulois dominateurs à l'étranger. Bravo ! Mais, surtout, l'essentiel était sauf : la communication. M. Michelin fils pourra prendre modèle, la prochaine fois, sur M. Carlos Ghosn.

Surnommé le « tueur de coûts » *(cost killer)*, M. Carlos Ghosn, cet archétype de la vertu, du savoir économique et des bonnes façons ultralibérales, exerce ses talents au sein de la firme Renault après être passé chez... Michelin. Un champion. Voyez plutôt : « Pour rendre à Nissan sa rentabilité, il a tranché sans arrière-pensées dans tous les coûts... Carlos Ghosn a osé là où d'autres auraient transigé : 21 000 suppressions de postes à travers le monde sur 148 000 salariés, trois usines d'assemblage et deux unités mécaniques fermées d'ici mars 2002 [1]. » Sans compter la baisse du coût des achats, qui ruinera un grand nombre d'équipementiers, de fournisseurs de pièces détachées et autres sous-traitants. Un modèle, on vous dit : « Personne n'avait osé prendre des mesures d'une telle envergure, en brisant

1. *Le Figaro*, pages économiques, 19 octobre 1999.

des habitudes quasi séculaires de plein emploi, au sein de l'un des fleurons de l'industrie japonaise. » On se sent fier d'être français ! Après la décision, prêtée à cet apôtre, de fermer l'usine de Vilvorde, en Belgique, « c'est 60 milliards de francs qu'il espère économiser » au Japon.

Les 21 000 occupants des postes sacrifiés seront grisés d'apprendre qu'il s'agit là d'un « plan de revitalisation ». Les « interlocuteurs nippons » l'ont été par la délicatesse, le tact exquis avec lesquels ces mesures leur furent annoncées. Tout est décidément dans la manière. On n'en revient pas d'une telle élégance : M. Carlos Ghosn qui, « désormais au volant de Nissan, ne s'exprime publiquement qu'en anglais » (au Japon, excellent moyen de bousculer la culture d'entreprise autochtone), « n'a pas hésité à prononcer phonétiquement en japonais la conclusion de son plan ». On en pleurerait d'émotion ! 21 000 suppressions d'emploi et la fermeture de cinq usines annoncées directement en japonais aux intéressés, quelle politesse, quelle marque d'humanité ! Aussitôt récompensées, car, « pour ses interlocuteurs nippons, le détail n'est pas neutre. Les émissaires Daimler-Chrysler n'avaient, dit-on, pas autant de prévenances. Les Français tentent de ne jamais froisser leurs homologues. Et pourtant, ils veulent frapper vite et fort ». Ils sont parfaits, ces Français : étiquette et talons rouges, fraternité, brutalité, ils ont vraiment tout pour eux ! Les malappris de chez Daimler-Chrysler peuvent aller se rhabiller, prendre des cours de savoir-vivre ! Les « homologues », ça se cultive à la française, phonétiquement, si l'on désire en être aimé.

Mais Ford aussi a beaucoup à apprendre de M. Ghosn : « Alors que Ford a fait reculer la promotion à l'ancienneté qui régnait dans les usines japonaises pour favoriser l'avancement au mérite, Carlos Ghosn a franchi le pas : désormais, rentabilité oblige, chez Nissan, la promotion du personnel sera uniquement fondée sur la performance. C'est, après l'annonce des fermetures d'usines et des suppressions de postes, un autre tabou du système japonais qui est ainsi foulé aux pieds. Ce n'est pas l'un des moindres [1]. » Mieux que le Mondial ! La France au premier rang, colonisatrice d'un Japon bouleversé par tant de « prévenances » ! Vive Carlos Ghosn ! « Le *cost killer* au pouvoir ! » Comment dit-on cela en japonais ? Phonétiquement, s'entend...

La banalisation de ces pratiques, le cynisme croissant qui les entoure, les exposent désormais au grand jour, sans complexes, tant elles font partie des méthodes imposées comme évidentes, considérées comme classiques par les dogmes ultralibéraux, désormais si bien implantés dans un monde qu'ils estiment créé pour leur être assujetti. Récuser, modifier le moindre élément de cet enchevêtrement de postulats mettrait tout l'ensemble en cause. Y parviendrait-on, c'est tout le système qui s'effondrerait.

Ce qu'il fallait encore, il y a peu, déceler, repérer, afin

1. *Le Figaro, ibid.*

de dénoncer ce qui n'était pas même perçu, devient aujourd'hui de notoriété publique ; ce qui se dissimulait s'affiche avec le plus grand naturel. Il s'agit même, pourrait-on dire, d'*économie-spectacle.* Le public est supposé se familiariser et se passionner, comme au football ou à la boxe, pour les différents épisodes de la saga des firmes, leurs crêpages de chignons, leurs duels, leurs divorces et leurs unions.

Au bout du compte, l'issue est toujours la même : suppressions massives d'emplois, avec pour seul élément de suspense le nombre des licenciements annoncés. Autre manière encore de détourner l'attention générale du sens et des conséquences de tels agissements, de ce qu'ils recèlent et promettent d'insoutenable.

À de telles pratiques, c'est la loi, et elle seule, qui peut mettre un frein, sous l'égide de l'opinion publique, *via* la classe politique. La loi seule est dissuasive sans violence ; à elle seule il est dû des comptes. Si elle est contournée, si des dérégulations la moquent, elle peut riposter.

Comment combattre le chômage sans avoir le pouvoir d'au moins contrôler ces licenciements légalement déchaînés dans les circonstances les plus scandaleuses, en permanence, programmés à froid, présupposés dans la gestion banale des multinationales et de toutes affaires cotées en Bourse ? Ces licenciements ne sont pas seulement considérés comme allant de soi, ils sont exigés comme preuves indispensables de savoir-faire, comme carte d'entrée du « club », et regardés comme des appâts irrésistibles à lancer sur les places boursières, des sources de « valeur » sans pareilles, des accélérateurs de bénéfices inestimables, d'autant plus désirables que ces bénéfices sont déjà importants. Le tout, parfaitement légal. Une politesse due aux actionnaires. Un *must* de la compétitivité.

Et cela, sans jamais aucune sanction. Des congratulations, plutôt ! Ce qu'un syndicaliste résumait ainsi à Clermont-Ferrand : « D'un côté, on fait tout pour la priorité au travail, et, de l'autre, les patrons font ce qu'ils veulent[1]. » Oui, ceux qui sanctionnent ainsi sans répit, systématiquement, la population planétaire, le font sans entraves et au nom de la « liberté » : la leur, raflée au détriment de celle de tous les autres ; liberté de leur nuire dans une société bloquée, sans frontières réelles, hormis pour les hommes et les femmes privés de ressources ; une société démunie de certaines lois indispensables et dont les lois existantes sont si facilement ignorées lorsqu'elles gênent le monde des multinationales. Un monde sous scellés, propriété exclusive de ceux qui le ravagent sans même avoir à fomenter de violences, tant cet empire leur semble acquis, tant leur emprise s'exerce sur cette société rendue intolérable, et pourtant seule tolérée. Ne s'agit-il pas là d'une forme de dictature, qu'elle soit ou non avérée ?

Un salarié « dégraissé » (soit jeté de l'une des nombreuses entreprises qui se débarrassent de la « mau-

1. *LCI*, 21 septembre 1999.

vaise graisse » que représentent pour elles les hommes et les femmes qu'elles emploient) remarquait un jour à la télévision : « Autrefois, c'était déjà dur, on licenciait quand l'affaire marchait mal, c'était discutable, mais on pouvait comprendre ; maintenant, c'est quand elle marche bien. » Un autre se désolait : « On ne sait plus quoi faire pour satisfaire les patrons ! » Mais si : se laisser virer et contribuer ainsi pour une modeste part à démultiplier la fortune de ceux qui jugent les chômeurs inutiles – ce qui est bien ingrat, car non seulement leur licenciement peut leur rapporter chaque fois une bonne petite somme, mais ils leur sont, répétons-le, indispensables. Ne serait-ce que pour les aider à transformer une civilisation de contrainte basée sur l'emploi salarié en ce régime d'étrange dictature fondé sur le chômage et la dégradation de cet emploi.

Pour les hommes et les femmes salariés d'une entreprise, la différence est grande entre licenciements « secs » et suppressions de postes de travail « libérés ». Mais les deux mesures ont le même impact sur l'avenir de l'emploi et signalent le même déclin. De concert, licenciements et liquidations de postes indiquent à quel point ces diminutions d'effectifs ne représentent aucun inconvénient pour les firmes, mais des avantages prévus et revendiqués. À quel point elles sont intégrées dans leur dynamique et comme, croissance ou non, l'emploi y trouve de moins en moins sa place, et plus du tout le statut qui fut le sien.

Cela n'a guère été souligné au long des croisades pour l'emploi, toujours axées sur des critères qui n'ont plus cours. D'où ces leurres qui faussent le jeu, égarent l'opinion publique, enrayent d'avance des initiatives souvent prises à partir de ces notions erronées.

Leurre essentiel ? Croire l'entreprise et l'emploi encore étroitement fusionnés. Comment rester aveugle aux démonstrations récurrentes prouvant non seulement que l'entreprise peut – et de plus en plus – se passer de l'emploi, mais qu'elle estime ne plus pouvoir se passer de le réduire ? Et cela, non pas tant pour des questions techniques qu'en raison d'intérêts d'ordre, en fin de compte, spéculatif, et par souci de son propre prestige dans le monde des affaires. Pour elle, licencier, et de préférence en quantité massive, revient à s'inscrire dans l'orthodoxie ultralibérale, à bénéficier aussitôt de gains spectaculaires, mais à donner aussi les gages indispensables à sa bonne réputation sur les places boursières.

On se doute bien que les entrepreneurs ne procéderaient pas à ces licenciements, à ces suppressions de postes, s'ils estimaient le faire à leur détriment ! Imagine-t-on pouvoir les persuader de s'exclure du club des gagnants par pure bonté d'âme ? Ou les convaincre de renoncer à ces profits, à ces promotions, rien qu'en les y « incitant », en laissant entendre qu'ils se conduisent comme des méchants ?

Soyons sérieux ! Aucune mesure facultative n'aura de résultat ; elles seront toutes nulles et non avenues si elles dépendent du bon vouloir de ceux qui ont toutes les raisons de ne pas répondre à ce qu'on attend d'eux, d'autant qu'ils en sont chaque fois récompensés et spéculent d'avance sur les avantages qu'ils vont en tirer. Seule la loi peut faire barrage à ces exactions. Seul le droit – ou l'action directe, la rue. Aucune « incitation » n'aura le moindre effet, aucun vœu pieux, ni les leçons de morale ou les réprimandes.

En appeler au bon vouloir des entrepreneurs est d'autant plus inepte qu'ils ne sauraient eux-mêmes échapper à ce système, quand bien même ils le désireraient (ce qui peut être parfois le cas). L'engrenage libéral ne leur laisse pas le choix ; ils sont eux aussi de simples pions (mais bénéficiaires) dans ce régime inédit à vocation totalitaire. Cependant, plutôt que de se préoccuper en urgence du sort des chômeurs, des travailleurs précaires, de la population de plus en plus nombreuse vivant autour ou au-dessous du seuil de pauvreté, des nouveaux *working poors*, plutôt que de chercher (cette fois pour les trouver) des emplois là où ils manquent, les pouvoirs publics restent d'abord axés, presque exclusivement, sur les entrepreneurs, comme s'ils étaient toujours la poule aux œufs d'or, féconde dispensatrice d'emplois. Et de leur offrir aubaine sur aubaine : subventions, allègements de charges sociales, primes et autres cadeaux distribués sans être assortis d'aucune contrainte et tous acceptés, empochés sans faire de manières et... sans tenir compte non plus des conditions (non contraignantes) qui les accompagnent, à commencer par le timide « espoir » de voir leurs firmes embaucher. Faut-il s'étonner qu'ils fassent la sourde oreille à des « recommandations » si pleines de tact, à d'aussi discrètes « incitations », à ces conditions si timidement suggérées, qui ressemblent plutôt à des prétextes ? On croit rêver devant un tel laisser-faire, une telle anémie de la volonté face à un problème aussi crucial ! Onirisme qui débouche, hélas, sur le cauchemar de beaucoup !

Accordés en faveur de l'emploi à des employeurs qui n'emploient toujours pas mais débauchent, ces subventions, ces avantages en disent long sur l'état réel du marché de l'emploi et sur les chimères entretenues autour de la vocation des entreprises à l'animer. Il n'est pas normal que de telles contorsions soient jugées nécessaires pour (ne pas) obtenir que l'offre corresponde le moins du monde à la demande, ni qu'il faille financer l'emploi de l'emploi – ce qui se pratique d'ailleurs sans illusions, et moins pour obtenir des résultats que pour paraître en espérer et sembler avoir fait l'effort de les obtenir.

La cour éhontée ainsi faite aux entreprises démontre à quel point elles ne jugent pas l'emploi nécessaire. Le décalage maintenu entre le leurre de leur prépondérance et leur réticence (un euphémisme !) est une des causes du malheur actuel et des capacités infinies de chantage détenues par l'économie privée, tout comme il est aussi une des causes de l'impasse dans laquelle doit éviter de se laisser coincer la population terrestre.

Ces chantages, la puissance économique et ses sous-traitants politiques les exercent tous azimuts : sur la classe politique, sur les salariés et leurs organisations, sur les sans-emploi, les non-actifs, sur toutes les structures de la société, grâce aux pouvoirs que lui confère le niveau de chômage, pouvoirs exacerbés par la sacralisation de l'emploi sous sa forme vétuste.

N'importe quel emploi, du moment qu'il efface une unité dans les statistiques, même s'il ne permet pas de vivre, de payer un loyer, de nourrir décemment des enfants, même s'il exhibe le mépris dans lequel est tenu son détenteur, sera supposé lui offrir ou lui rendre sa « dignité ». Ce miracle accompli, ce Graal obtenu, qui oserait revendiquer encore à leur propos ? Qui oserait juger, critiquer ce trophée suprême, puisque son obtention représente un apogée quasi inaccessible ? Reste à conserver cet emploi, à trembler de le perdre.

Qu'a-t-on promulgué pour arrêter le déchaînement des licenciements ? Pour au moins freiner cette permissivité sans frein ? En France, il existait, à défaut de lois, un contrôle administratif des licenciements : au-delà d'un certain nombre, une autorisation administrative préalable était exigée. Supprimé, nous l'avons vu, en 1986, ce contrôle n'a jamais été rétabli, et il n'est toujours pas à l'ordre du jour. La loi ne protège pas contre le scandale des mises au chômage arbitraires, spéculatives, qui, accessoirement, laissent revenir aux actionnaires et aux spéculateurs le profit intégral (aussitôt affiché en Bourse) qu'ils en tirent, tandis que les salariés licenciés, dont le malheur est à la source de ces bénéfices, n'en ont pas la moindre part. La loi est ici en défaut.

Ajoutons que l'État, donc le contribuable, « assistent » ce scandale en se chargeant du coût de telles

« charrettes » (partiellement des indemnités de licenciement, intégralement de l'indemnisation de chômage), tandis que, toujours audacieuses et dynamiques, les « forces vives » font l'effort de compter leurs gains.

Là aussi, la législation est en défaut. Elle l'est relativement aux nouvelles procédures de licenciement, aux masses systématiquement chassées pour des raisons qui n'ont rien à voir avec la valeur au travail de chacun, ni même avec l'intérêt spécifique de l'entreprise, avec sa production et ses bénéfices réels dans sa propre sphère. Il s'agit le plus souvent de sociétés en pleine expansion qui, classiquement désormais, pour amplifier des gains obtenus dans l'univers spéculatif, se débarrassent de leur personnel. On appelle cela créer des « plans sociaux[1] ».

Si la loi demeure amorphe, sur qui, sur quoi compter ? Sur des discours ? des conversions miraculeuses ?

La réponse consiste, partout dans le monde, en cette épidémie de pseudo-emplois sous-payés, au-dessous du

1. Il n'est pas indifférent que cette expression remplace aujourd'hui celle de « licenciements », substitution qui donne et fait prendre pour de la sollicitude sociale, pour un souci d'amélioration planifiée, la calamité que représente le chômage. Cette réitération constante joue le rôle persuasif d'une publicité grandiose telle qu'aucune firme ne pourrait se l'offrir et que le public en général, mais plus encore les victimes du chômage elles-mêmes et les syndicats, ont le *très grand tort* de leur servir sur un plateau. Cela les dédouane dans les esprits à un degré beaucoup plus important qu'on ne le pense, tout en contribuant grandement à banaliser et à dédramatiser le chômage. Il n'est pas bon de se prêter aux pièges langagiers de l'ultralibéralisme ; ils sont très efficaces.

seuil de pauvreté ou le frôlant ; en un déploiement institué de salaires de misère, d'emplois précaires ou à temps partiel subi qui débouchent sur le dénuement des *working poors*, sur des adultes traités en bambins, que l'on occupe afin qu'ils laissent tranquilles les statistiques, quand ce n'est pas sur les néo-esclaves du *workfare*, tous acculés à se soumettre au désordre officiel, mis dans l'incapacité d'être solidaires entre eux. Cette réponse à la misère de l'emploi devient un emploi de la misère, son exploitation au pied de places boursières en folie, et, ne nous y trompons pas, la destruction progressive, et qui s'accélère, de la notion même de société.

Cette réponse consiste à remplacer le chômage par la pauvreté. Nous avons vu les États-Unis en donner un exemple impressionnant, mais ils n'ont pas, et de loin, l'exclusivité de la méthode, qui devient machinale : l'échange d'un chômage devenu la norme contre une normalisation de la pauvreté.

Juger ce constat « pessimiste » reviendrait à estimer la situation si peu modifiable que le plus urgent serait de la maquiller. Il n'est question ici que d'un simple constat, d'un compte rendu visant à mettre à plat la réalité. Ce n'est pas le constat qui la rend déplorable, ni qui institue les faits répertoriés. Si en rendre compte était « pessimiste », c'est que tout optimisme se devrait d'être factice. Ou qu'il faudrait partager l'optimisme de ceux qui, ayant créé une situation désastreuse, s'enchantent d'en profiter.

L'optimisme ? Est-ce prétendre tenir la mystification

pour une réalité afin de ne pas inquiéter ceux qui, s'y étant laissé prendre, sont censés nager dans la béatitude ? Ou bien est-ce se confronter à un monde que l'on a su démystifier, et sur lequel il devient possible d'avoir prise ? Ou encore, n'est-ce pas avoir confiance dans le courage de la plupart et savoir qu'ils n'ont d'autre crainte que d'être seuls à percevoir la difficulté de la situation et ses périls ? Et qu'ils échappent à ce qui est le plus redoutable : la peur refoulée que l'on suscite en voulant rassurer de manière trompeuse, alors que rien ne libère de l'inquiétude, ou plutôt ne permet de vivre libre avec elle, comme de l'affronter. Et, mieux encore, de savoir cette inquiétude prise en compte par d'autres, et cet affrontement partagé.

Pessimiste, ce constat ? Non. Subversif ? Oui. Car toute situation déchiffrée, mise à plat et reconnue devient modifiable, et peut être combattue si l'on parvient à s'évader de la sphère magique qui la fait passer pour irrévocable.

La dictature consiste à instaurer cet ordre magique qui lui permet d'imposer comme solution unique, éternelle, celle qui a sa préférence. Pour la renverser, il faut d'abord débusquer l'imposture, en repérer les sources, les analyser, puis les exposer, même si cela n'a rien d'aimable, et d'autant plus, au contraire, puisqu'il devient alors plus urgent de s'en délivrer.

C'est cette voie-là qui, à la fois, émane de l'optimisme et y conduit. Optimisme en faveur duquel joue l'existence de cette opinion publique mondialisée, opposée à l'ultralibéralisme et qui cherche comment lui résister. Il nous revient de tenir compte du fait que nous sommes en démocratie, même sous le joug de l'ultralibéralisme, et – l'expression démocratique passant par le truchement de la classe politique – d'exiger de nos mandataires qu'ils se mettent en phase avec leurs mandants. À ces derniers de ne pas laisser ignorer des candidats, des élus, des gouvernements, ce qu'ils exigent, de ne pas se taire mais de réagir, de ne pas accréditer l'idée d'une complicité générale et passive.

Le rôle des responsables politiques n'est pas de protéger une situation contre les réactions de ceux qui la subissent, mais de protéger ces derniers de cette situation. Il n'est pas d'être obsédés par le souci d'organiser une cohésion sociale autour d'une destruction de la société et de son concept même !

Toute résistance passe d'abord par la lucidité, toute approche lucide inquiétera donc et sera censée résulter d'une volonté de « faire peur ». Toute alerte dénonçant une propagande qui mène au pire, avec des promesses séductrices auxquelles personne ne croit mais au son desquelles on peut aimer s'assoupir, sera tenue pour pessimiste, puisqu'elle écartera l'illusion. Toute forme de résistance sera prise pour un prélude à l'« explosion sociale » fantasmée par la mauvaise conscience, alors que seule la lucidité peut, à moins d'y être acculée, éviter cette « explosion », moins efficace que le harcèlement, sinon de la Vérité, du moins d'une implacable exactitude.

Répétons-le : ce désir de refuser les dégâts de l'ultralibéralisme et de rejeter sa dictature existe parmi nombre de responsables politiques. Certains attendent, consciemment ou non, d'être contraints par l'opinion publique à changer de cap, à ne plus se croire obligés de jouer le jeu à la mode, celui des plus forts, qui se croient sans adversaires. Ils le pourraient, mais en s'appuyant sur cette autre puissance que doit et peut devenir l'opinion, d'abord en démontrant qu'elle existe, qu'elle n'est pas dupe, et que les populations ne sont pas assoupies dans un acquiescement général et passif. C'est la raison d'être de la démocratie, et ses moyens demeurent, même si certains prosélytes tentent de nous décourager de croire en leurs capacités, ils sont là, efficaces, si l'on s'entête à les utiliser sans tenir compte de cette forme d'intoxication. Les totalitarismes sont toujours présentés comme imbattables. Or, cela s'est toujours révélé faux.

Tout comme le sentiment d'impuissance générale qu'ils parviennent à susciter ; et comme l'affirmation proclamée d'une absence d'alternative à son empire, au point que la moindre altération de la structure qu'elle impose ferait s'écrouler l'ensemble qu'elle a elle-même échafaudé et qui semble (à tort) occuper à lui seul toute la sphère du réel, hors laquelle il n'y aurait que vacuité.

Sommes-nous conscients du fait que *jamais* les problèmes ne sont considérés hors du champ des contraintes imposées par les dogmes de ces totalitarismes, jamais d'un point de vue qui leur serait tout à fait étranger ? Ils ne sont envisagés qu'à partir et en fonction de cercles vicieux issus de postulats incluant des conclusions imparables, définitives et triomphantes, œuvres de logiques qui se donnent les unes aux autres le change, correspondent en vase clos et ne tiennent que par des conventions mutuelles et internes – terroristes, en somme.

Les stratagèmes du totalitarisme lui ont permis de s'insinuer, clandestin, sans complot, grâce à une propagande patiente, insidieuse, employée surtout à nous détourner de ce qui nous permettrait d'être conscients de sa présence. Il s'est, des années durant, installé sous nos yeux, indiscerné, sans susciter de réactions de notre part. Aujourd'hui, alors qu'il nous devient (encore vaguement) visible, le fait qu'il soit en cours, sous-tendant l'ensemble des décisions prises, des structures et plus encore des déstructurations, les mêmes stratagèmes parviennent une fois de plus à donner le change, à faire paraître la situation comme inéluctable, fatidique – et non comme le résultat d'une politique très définie, très ciblée, qu'il est possible de combattre en se soustrayant à son système clos. En dénonçant, en démystifiant, en osant créer des contre-pouvoirs tout aussi mondialisés que ceux de cette dictature sans dictateur.

Une véritable politique, en particulier une vraie politique de l'emploi, se devrait de ne pas faire le jeu d'un tel absolutisme, d'en refuser à voix haute et les conséquences et les origines, au lieu de les admettre en se voilant la face. Il est clair, par exemple, que les entreprises, à la fois initiatrices et parties prenantes de ce nouvel ordre, n'ont aucune raison ni aucune intention de se comporter comme au temps où l'emploi, et même le plein emploi, leur étaient indispensables. Un temps où elles en étaient elles-mêmes si dépendantes qu'un certain équilibre des forces pouvait s'établir.

Réaliste, une politique tiendrait compte de cette métamorphose de l'emploi, de la mutation d'une civilisation qui n'est plus fondée sur lui. Elle le débarrasserait des valeurs archaïques qui lui sont toujours prêtées, tout comme elle délivrerait ceux qui en sont privés de l'opprobre et du châtiment qui leur sont impartis. Elle ferait l'analyse de l'actualité d'une économie au sein de laquelle les entreprises ne sont plus fusionnées à l'emploi, *ni même à un capital*, mais sont aliénées aux flux aléatoires et tyranniques de spéculations auxquelles elles servent de supports ou de prétextes – ce rôle devenant même leur vocation première.

Une politique dynamique s'activerait à créer ou à recréer une société véritable en rétablissant le très grand nombre de professions, de métiers, d'emplois indispensables à la civilisation, dont la carence est manifestement néfaste. Elle donnerait priorité à la valeur, à l'utilité réelles des tâches, sans les juger ni les jauger uniquement en fonction de leur rentabilité. Utopie ? Non. Question de renversement des priorités, renversement dont toute l'Histoire est ponctuée. La plus absurde, la plus stupide des priorités étant celle, absolue, adjugée au profit stérile de quelques-uns, prêts à tous les ravages pour l'obtenir.

Responsable, une politique de l'emploi ferait en sorte que la priorité aille aux personnes, qu'elles ne soient pas sacrifiées à la dégradation, aujourd'hui instituée, de l'emploi – quand elles en trouvent, à la pauvreté laborieuse, aux conditions de stress et de malheur du chômage. À l'impossible perpétuation de la vie salariale sous sa forme périmée, que l'on s'obstine à reconduire à contre-courant pour des raisons perverses, au prix de tant de souffrances, de chantages et d'humiliations.

Une politique attentive aiderait à faire le deuil d'une civilisation qu'auréole son éloignement graduel, qui s'accélère tandis que sont préservés ses effets de hiérarchie et d'autorité et ce qu'elle recélait de cruel.

Il n'est pourtant guère éloigné le temps où l'on se rebellait contre les formes et les conditions de l'emploi, vigoureusement mis en question et jugé aliénant, alors qu'aujourd'hui il est entendu que cette aliénation seule procure l'intégration. Le désastre actuel créé par la disparition de l'emploi eût alors paru impensable, et c'est cette carence prévisionnelle, qui fut si nocive, à laquelle il est temps de remédier en ne persévérant pas dans les méprises qui en sont issues.

C'en est une, et des plus grave, que de ne pas réduire par priorité la détresse des chômeurs qui, elle, est certaine, immédiate – comme elle l'est pour leurs enfants qui la subissent avec eux, même s'ils n'entrent pas dans les statistiques. Et ce serait être aveugle que de ne pas voir à quel point les chômeurs et la pauvreté sont pris en otages, et comme les populations menacées sont tenues de la sorte à merci.

À partir de là, toutes propositions faites aux détenteurs d'emplois prendront un autre sens, seront plus facilement acceptées. Laisser des miettes du butin à certains de ceux que l'on tient sous le joug est une méthode classique qui a fait ses preuves. Leur concéder quelques hochets sans valeur, qui les feront se ranger du côté des privilégiés, a toujours été payant, mais aujourd'hui, suprême raffinement, ces hochets sont devenus, pour ceux qui les octroient, l'investissement le plus profitable, qui non seulement fait table rase de toutes les autres formes de revenus, mais devient la meilleure arme dissuasive contre les contestataires en puissance, persuadés d'être engagés avec eux.

On voit ici percer l'intérêt que représentent pour l'ultralibéralisme certains partenariats, tel celui créé par les stock-options, qui viennent compléter par de petites fortunes les rémunérations déjà considérables des dirigeants – mais qui, dérisoires en regard, viendraient remplacer par des actions une fraction des salaires, ou le système des primes, pour les employés qui se verraient ainsi associés aux gains, mais aussi aux pertes de la société, et qui seraient plus que jamais ligotés à elle ; des salariés qui ne peuvent se permettre de placer de façon risquée leurs salaires, ni de voir ainsi risquer d'être écorné ce qui leur est dû et qui ne coûterait rien à la firme qui les emploie avec un tel sens du partage.

Les fonds de pension vont encore plus loin. On connaît déjà les dégâts causés par les entreprises sur lesquelles ils exercent aujourd'hui tout pouvoir et qu'ils utilisent à des fins spéculatives, gouvernant les décisions de leurs décideurs, qui ont, eux, la mainmise sur celles des pouvoirs publics.

Cependant, on s'arrête moins à la condition des petits porteurs de ces fonds de pension, entraînés dans une connivence avec ce qui, précisément, les menace. Leurs retraites futures dépendant de ces fonds, leur intérêt leur commandera de soutenir l'exigence de gestionnaires qui, pour les investir dans une entreprise, exigeront un taux de profitabilité garanti presque toujours irrationnel, de l'ordre de 15 %. Gageure presque impossible à tenir, à moins d'en appeler à des méthodes expéditives en vue de prises de bénéfices précipitées : d'où l'abaissement du coût du travail et ces licenciements en masse qui ont pour excellent prétexte d'alimenter les retraites... des salariés visés par ces licenciements. Ils auront été mis en situation de réclamer ce qui les ruine et qu'ils auront nourri : leur propre licenciement, exigé en leur propre nom.

Admirons !

D'autant que ces dividendes extravagants requis par les fonds de pension exigent des entreprises une gestion drastique, repliée sur elle-même et non plus sur la production ni sur les réactions du consommateur, non plus que sur une évolution normale et réaliste de la firme en question. Les économies prohibitives en vue de gains accélérés ont pour but de la rendre concurrentielle, non sur le plan de la qualité, ou même du jeu commercial, mais sur celui de la chasse aux investissements spéculatifs, fût-elle nocive à ce jeu ou à cette qualité.

Cette fois, l'« économie de marché » ne fait pas qu'investir ses profits dans la spéculation ; c'est, au contraire, la spéculation qui l'investit. Elles fusionnent.

Ces entreprises ne s'en tiennent plus à miser leurs profits sur les marchés virtuels, à souscrire et se mêler à leurs jeux de casino : elles s'agrègent aux casinos et ne fonctionnent plus qu'en vue des gains exigés d'elles, immédiats, démentiels, auxquels doivent se plier toutes autres préoccupations, toutes autres ambitions, et se faire oublier toute singularité, toute divergence. À la limite, les entreprises pourraient ne pas exister, puisqu'on ne mise pas sur leurs actifs réels, sur leur gestion optimale en fonction de la qualité de leurs produits, mais sur leurs titres cotés en Bourse, qui ont leur propre existence, indépendante de cette qualité. Ce n'est plus la qualité qui déterminera la cote, c'est la cote qui tiendra lieu de qualité.

Au service des fonds de pension, dont elles dépendent désormais, les entreprises sont réduites à n'être plus que des éléments de leurs humeurs spéculatives, qui, dès lors, dictent aux « décideurs » – si l'on peut encore dire – leurs pratiques, leurs modes de production, leurs objectifs et, bien entendu, le nombre de leurs effectifs. Elles sont, désormais, gouvernées par les gestionnaires de ces fonds, ces « investisseurs institutionnels ». Ce transfert d'autorité a pris le nom de *corporate governance* : un « gouvernement », bien nommé, de spéculateurs qui surveillent et dirigent toutes les décisions, les directions prises.

Cette emprise de la *corporate governance* sur les entreprises, sur leurs structures, leur politique, leurs décisions, n'est pas sans rappeler celle du FMI sur les nations qu'il « aide » à condition qu'elles se placent sous sa coupe et que leur gestion corresponde à l'identique au modèle ultralibéral. À condition qu'elles se laissent *coloniser* – nations ou entreprises – par les représentants d'un régime à des années-lumière de toute réalité tant soit peu étrangère aux profits issus des fluctuations de marchés virtuels. On imagine à quel point sont alors sacrifiés, tels des pions sans valeur, les hommes et les femmes devenus les jouets de trafics financiers auxquels se trouve peu à peu réduite la vie en ce monde. Un monde où leur place ne semble plus guère prévue.

Ainsi, le premier signe exigé pour l'emporter dans la chasse aux fonds de pension, donc à des profits démesurés, réside dans l'abaissement du coût du travail, dans l'acharnement de stratégies aboutissant à des licenciements en quantités elles aussi démesurées.

Les retraites dépendant de ces fonds dépendront donc de la réussite de ces stratégies néfastes à leurs détenteurs, qui ne pourront cependant que souhaiter leur réussite ! Et qui, après y avoir contribué, seront associés d'office et même intéressés à ce qui produit leur licenciement. Ils en seront venus à *sponsoriser leur propre chômage* !

En toute complicité.

Rien ne sera négligé pour introduire ce système de retraites, ce « partenariat », dans les pays qu'ils n'ont pas encore pénétrés et qui y sont réticents, comme la France. Des demi-mesures, ou de moindres encore, nous seront proposées, camouflées sous d'autres noms, tels ceux de « fonds de réserve », « fonds de prévoyance », « fonds partenariaux », entre autres euphémismes tout aussi prudents. Ils nous seront présentés sous des formes atténuées, fragmentées, édulcorées, annoncées comme provisoires, mais dont le but sera le même, chacune jouant le rôle si perfide et si répandu, si efficace de cheval de Troie !

Soulignons ici la fermeté, la détermination de l'opinion publique, et, jusqu'à présent, le succès de cette sourde résistance à ces rafles, ces razzias, à cette volonté de destruction des acquis – souvent opérées sous prétexte de les sauver, comme ici les retraites, ailleurs la Sécurité sociale.

À ne jamais oublier : les *lobbies*. Ici, la longue et ancienne convoitise des puissants lobbies de l'assurance face au système des retraites par répartition, qui représente pour eux (comme la Sécurité sociale) un manque à gagner intolérable, des fonds mirifiques dont ils se sentent depuis si longtemps lésés, spoliés, même, et dont ils guettent la manne. La lutte sera acharnée pour pénétrer ces régions, comme la France, où des fonds de pension étrangers sont d'ailleurs déjà investis, mais dont les autochtones sont loin de figurer spontanément parmi les investisseurs.

On ne s'étonnera pas de la stupéfaction navrée qui entoure ces traîtres ! Tout sera bon pour les mettre sur le droit chemin, les émoustiller, leur faire honte, dénoncer leur antipatriotisme (et simultanément, en France, leur franchouillardise), sans tenir compte du fait que bien rares sont les grosses entreprises auxquelles une seule nation est affiliée, mais surtout en oubliant que les gestionnaires des fonds se gardent bien, et à juste raison, de les placer en un seul pays : ils les investissent dans des pays divers, avec pour seul critère le rendement. Si figurent dans les entreprises françaises un très important pourcentage de capitaux étrangers (environ 45 %), rien ne prouve que, demain, des fonds français privilégieraient la France : ils iraient sans hésitation se placer dans des firmes étrangères si leurs résultats promettaient d'être plus spectaculaires.

Peut-être l'une des différences les plus marquantes entre les nations réside-t-elle, aujourd'hui, entre celles qui ont cédé au modèle hégémonique qu'un baron Seillière[1] appelle, péremptoire, « le monde qu'il y a » –

1. Président du MEDEF, autrefois CNPF – charme des sigles ! Autrement dit, toujours le « patron des patrons », définition démodée, les ruses ultralibérales autour du vocabulaire ayant fait échanger le terme de *patron* contre celui, moins agressif, plus dynamique et valorisant, d'*entrepreneur*. De toute façon, il s'agit là, on l'aura compris, du même !

celui qui lui convient, auquel on ne saurait toucher, où, selon lui, il n'y a « aucun mal à faire la même chose au moindre coût, avec moins de monde [1] » –, et les nations qui résistent encore à ce monde-là, grâce, on ne le soulignera jamais assez, à leur opinion publique dont l'existence, même non encore très manifestée, est assez intense pour être perceptible et déjà efficace.

Il y aurait peut-être aussi moins de mal si ce « moins de monde », évincé avec une telle allégresse par M. Seillière, si ce « toujours plus de monde » refusé par l'entreprise n'était pas abandonné à son sort dans « ce monde qu'il y a », et si l'on tenait vraiment compte des droits dus et déniés à ce « moins de monde » qui représente, à vrai dire, tant de monde ! Et tant de vies, chacune singulière.

Ainsi, en l'occurrence, des populations qui furent, un temps, protégées « du berceau à la tombe » contre les pires retombées de l'horreur économique, regimbent à « assister » l'économie privée dans la pratique de cette horreur. Elles s'opposent, mais timidement et sans toute la concertation voulue, à ce que les plus faibles en viennent, consentants, à nourrir l'ordre même qui organise leurs désastres et prévoit leur exclusion !

Refus de voir la part des salaires épargnée, amputée et sacrifiée afin de *garantir* les retraites, être *risquée*, au contraire, dans des investissements hasardeux que seules peuvent se permettre les grandes fortunes –

1. Sur *LCI*.

celles-là mêmes que vont amplifier les risques pris par des gens qui n'en ont pas les moyens et qui, sans expérience, seront à la merci de toute forte oscillation boursière, de krachs éventuels, de fiascos divers, de la volatilité des marchés, des fragilités de la « bulle » financière. Sans compter l'incompétence ou l'éventuelle malhonnêteté des gestionnaires de ces fonds.

Les financiers connaissent bien cette fragilité de la « bulle » financière et, plus encore, de la « bulle » spéculative ; ils ont ou croient avoir les moyens d'en tenir compte, de jongler avec elles. Les innombrables salariés appelés à investir dans les fonds de pension ne sont pas des financiers ni des spéculateurs professionnels, encore moins des experts ; ils devront faire face en amateurs aux écueils de ces jeux capricieux, à leur complexité, leurs périls et leurs perversités, d'ailleurs aussi insolubles que ceux des jeux de hasard – alors qu'ils n'ont aucune raison de s'y intéresser. Et certainement pas les moyens de s'y impliquer. Mais surtout, l'enjeu en cause, leur retraite, est pour eux d'une importance trop vitale pour qu'il leur soit permis d'en jouer de la sorte.

À vrai dire, les assurés devenus actionnaires ne sont précisément plus « assurés », mais deviennent tributaires des risques pris par des gestionnaires auxquels ils devront faire entière confiance, avec l'espoir incertain de n'être pas grugés sur un terrain qui leur échappe [1].

---

1. On se souvient du scandale Maxwell, à Londres. Après la mort mystérieuse du magnat, il fut découvert que les fonds du *Mirror*

Leur retraite, le plus souvent seule ressource de leur avenir, dorénavant investie dans ces aventures aléatoires, et dont le montant ne sera donc pas garanti, dépendra d'une somme de hasards *non assurés* qui les priveront de la vertu première d'une retraite : la sécurité, en un temps de la vie où il n'est guère possible, d'ordinaire, de « rebondir », où tout semble joué, irréversible... Folie pure !

Certes, les marchés boursiers, les spéculations virtuelles traversent une période propice et stable, triomphale même, depuis un temps inusité. Mais le dollar, sur lequel tout repose aujourd'hui, n'est pas d'une solidité à la mesure de ce qu'il représente. La dette des États-Unis est la plus lourde qui soit. Les financiers, les spéculateurs se savent toujours parier sur un volcan. Ils en jouent. Ne songeons pas même à un krach, mais à ces risques moindres, graves cependant, qui, pour une grande fortune, pour des professionnels de la spéculation, font partie d'un jeu qu'ils peuvent se permettre de perdre en escomptant se rattraper, alors que toute perte serait fatale aux retraités dépendant de ces fonds de pension, si l'heure de leur retraite coïncidait avec une annulation de ces valeurs, ou même avec leur chute. Ce

---

Group et, avec eux, les retraites de ses très nombreux salariés avaient disparu, escroqués. L'incompétence des gestionnaires peut aboutir aux mêmes résultats, mais aussi d'autres agissements malhonnêtes plus subtils, moins facilement repérables que ceux de Maxwell (il est vrai repérés seulement à l'occasion de sa mort prématurée...).

qui n'est que vétille pour les spéculateurs constitue pour eux leur unique acquis, celui de tout leur passé, dont dépend tout leur avenir, leurs années de vieillesse.

Avoir à jongler ainsi, sans aucune sécurité, avec ce qui devrait être une assurance, confine au scandale. C'est le rejet, la confiscation d'un droit acquis à la retraite, à des prestations définies et sans condition ; c'est la prédation par l'économie privée de ce droit, au profit de la spéculation. Les retraités dont le labeur aura nourri des firmes dépendront des aléas de leur gestion et de ceux des cours financiers.

Pourquoi ne pas les jouer aux courses ? Ce serait plus amusant ! Au lieu de laisser les lobbies des assurances et autres intermédiaires rafler leurs réserves pour les miser au casino, les jouer à la loterie ! Au lieu de permettre à l'économie privée de manipuler cette énorme masse d'épargnes individuelles, ainsi empruntées à très long terme et sans garantie. Une méthode usuraire encore inégalée !

Combien de lobbies ont intérêt à ce qu'existent ces fonds qui, par ailleurs, loin de fortifier les entreprises, les obligent à des rendements disproportionnés, les entraînant ainsi dans des voies qui ne sont pas les leurs, et qui les privent de leur identité, de leur rôle véritable, et les déstabilisent dangereusement, jetées qu'elles sont dans ce maelström virtuel où leurs actifs réels, leurs compétences, leur réalité mêmes n'ont plus guère d'intérêt. Si ce n'est de faire de leurs employés des mécènes, en leur soutirant des fonds qui entraîneront à les licencier !

Ruse géniale, qui non seulement profite au profit, mais le protège. Car, auprès de cette initiative, le paternalisme de naguère (jadis spécialité d'un Michelin) ou l'ère du crédit initiée par grand-papa, qui ont eu pour vertu de freiner déjà la contestation, n'étaient qu'enfantillages. Dorénavant, ce ne seront plus les entreprises que l'on voudra « citoyennes », mais les citoyens qui seront embrigadés par elles en tant que pseudo-associés et néanmoins *sponsors* réels. Ils se retrouveront mieux ligotés encore à un système ultralibéral, qui pourra s'exercer à leurs dépens, non seulement sans contre-pouvoirs, mais en bénéficiant d'une duplicité générale.

Il en va de même pour les *stock-options* [1], supposées faire des salariés autant de partenaires de l'entreprise, participant à ses gains, copains du conseil d'administration, en somme des patrons miniatures. Comment, s'étonne-t-on, ces travailleurs méritants n'avaient pas droit aux bénéfices (ni aux pertes, mais à quoi bon en

---

1. Le cas de Philippe Jaffré – P.-D. G. de Elf –, recevant sous cette forme 230 millions de francs, en sus de ses indemnités de départ, comme remerciement pour une gestion improbable, a mobilisé l'attention. Mais, à l'instar de l'« affaire » Michelin, ces pratiques n'ont rien d'exceptionnel, en France comme dans le reste du monde ; elles sont, si l'on peut dire, monnaie courante, en permanence et partout. Dans le cas Jaffré, il était frappant de voir que des salariés de la même firme, virés comme lui en raison d'une fusion – mais sans avoir, eux, la moindre responsabilité dans la conduite des affaires, sans avoir, à sa différence, rien à se reprocher – ont eu droit, eux, en guise de « récompense », aux affres du chômage.

parler, nous sommes en pleine croissance), ils n'avaient pas leur part du gâteau, leur rang si mérité ?... Fâcheuse erreur ! Partageons ! Partageons ! Le cœur sur la main ! Tous et toujours solidaires !

Grâce à quoi, il devient non seulement facile de convaincre ces salariés que tous les sacrifices seront bons afin que grimpent leurs actions, et que tout mouvement revendicatif serait désastreux pour elles. Mais, surtout, ces actions deviendront de plus en plus un mode rêvé de salariat. Des salaires fixes, gelés, et toute augmentation, toute prime, voire une part de ces salaires pourront être négociées en termes d'actions à risques, sans que l'entreprise ait rien à débourser. Et sans risque aucun... pour l'employeur, les seuls risques revenant aux employés. D'une part, un gel des salaires réels, ou même éventuellement leur baisse ; de l'autre, des compensations, des rétributions ni sonnantes ni trébuchantes, à terme, et dépendant de la bonne marche de l'entreprise – soit, il va sans dire, de la docilité des nouveaux petits actionnaires, et d'une emprise renforcée des « décideurs ». Des économies immédiates fondées sur des bénéfices éventuels, mais ne garantissant pas la compensation de pertes possibles : le partage des pertes, des salaires à risques. Une caricature de partenariat[1] !

---

1. « Partenaires sociaux », étrange définition de la convergence entre des dirigeants et des syndicalistes qui prennent leurs désirs pour des réalités, supposant des partenaires si liés sur les questions sociales, si bons camarades au sein d'une association bienfaitrice,

Transformer l'ensemble de la société en un club de boursicoteurs, jouer « librement » d'une part des salaires, accaparer l'addition colossale de l'épargne de chacun, l'utiliser, toujours « librement », en particulier contre ses propres détenteurs, neutralisés par leur alliance avec ces agissements, quelle apothéose ultralibérale !

Unir en un chœur planétaire des actionnaires suspendus à des performances qui sévissent contre eux, mais qu'ils soutiennent, leur vigilance focalisée sur le succès de ce qui les détruit, chapeau !

On a pu dire que « l'homme est un loup pour l'homme » : chaque homme, un loup pour les autres hommes. Va-t-on faire de chaque homme un loup pour lui-même, partenaire des loups dont il est la proie ?

---

que réagir en adversaires relèverait d'une agressivité de fort mauvais aloi. Décidément, le langage est pris au sérieux, avec raison, par l'idéologie ultralibérale. Mais pourquoi accepter ses trouvailles sémantiques ? Pourquoi ne pas stipuler, par exemple, qu'il s'agit là d'« interlocuteurs sociaux », lesquels n'ont d'autres raisons de se rencontrer que le fait qu'ils ne sont pas d'accord, que leurs intérêts divergent en permanence, qu'ils ne sont donc pas des partenaires, mais s'affrontent sans aboutir forcément à un accord ?

« Quel bien nous souhaitons-nous ? » Une question que nous devrions pouvoir nous poser en permanence au lieu d'avoir sans cesse à nous demander à quel mal il nous est le plus urgent d'échapper. « Quel bien nous souhaitons-nous ? » Question interdite : il ferait beau voir de réclamer du superflu, ou même une norme favorable, moins encore une traversée captivante, harmonieuse de l'existence, alors que l'indispensable devient une denrée en voie de disparition ! Serait-il raisonnable de se préoccuper des conditions de travail ou de vie, alors qu'il faut tant plaider, ramer pour trouver ces emplois imposés et refusés en un monde où la survie en dépend, mais où ils font défaut ?

« Quel bien nous souhaitons-nous ? » C'est pourtant l'embarras du choix qui devrait nous troubler. Ce temps de l'Histoire, le nôtre, détient une capacité jusqu'ici inconnue de se révéler bénéfique au grand nombre, précisément grâce aux fabuleuses technologies nouvelles, capables d'offrir d'abondantes possibilités de choix de vie, au lieu de les tarir.

Sans pour autant se perdre dans l'utopie ni fantasmer un paradis terrestre, il serait possible aujourd'hui d'imaginer permises des vies menées de façon plus intelligente, plus amusante aussi, qui, délivrées de tant de contraintes, trouveraient chacune une place où elles seraient les bienvenues ! Nous en avons les moyens. Nous en avons *acquis* les moyens. Notre espèce les a acquis. Elle se les est laissé filouter par quelques-uns qui se les sont adjugés ou les ont pervertis. Mais ils sont récupérables.

Délivré par les technologies de la plupart des tâches pénibles, ingrates ou dénuées de sens, chacun pourrait et devrait devenir infiniment plus disponible à des opportunités élargies – et non pas, comme à présent, élargies au chômage. Des opportunités de s'activer en un monde où les dons, les goûts n'ont plus les mêmes raisons d'être étranglés, remisés au profit de tâches désormais transférées aux machines ; ils pourraient être enfin pris en compte, avoir au moins leurs chances de se déployer, voués à des valeurs, à des nécessités réelles, sans lien obligé avec la rentabilité.

Aujourd'hui devrait se développer comme jamais la pratique de métiers, de professions, d'emplois indispensables, mais dont la pénurie devient paradoxalement toujours plus manifeste. L'éducation gratuite et obligatoire, la démocratisation des études ont pourtant donné au grand nombre la capacité de les exercer. Elles l'y ont préparé. Or, on peut voir d'une part ces emplois s'évanouir à une vitesse vertigineuse, ou devenir des caricatures d'emplois, rémunérés en monnaie de singe, tandis que, d'autre part, les métiers et les professions sont ignorés, automatiquement négligés, mis de côté sans avoir été pris en considération, condamnés comme des luxes extravagants, de chères vieilles choses démodées, des pièges à déficit, à gaspillage, le summum de la non-rentabilité. La preuve concrète que, hors les sentiers de la spéculation, il n'est point de salut.

Il est hallucinant qu'en ces temps de lutte proclamée contre le chômage et pour l'emploi, des professions entières, répétons-le, manquent cruellement d'effectifs. Au point que, par exemple, des lycéens, des étudiants descendent dans la rue avec leurs professeurs pour réclamer en vain des enseignants en nombre décent, des personnels dont la nécessité est évidente et le manque angoissant. La réponse qui leur est faite, nette ou sous-entendue ? Trop cher. De quoi aurions-nous l'air, à Bruxelles et autres lieux, affublés de telles dépenses publiques ? Et de continuer à supprimer des postes, à comprimer vertueusement les effectifs. Ou, lorsque la contestation commence à faire désordre, à utiliser des vacataires en se gardant bien de les titulariser, à dénicher d'anciens professeurs non recyclés. Lesquels auront tous en commun d'être sous-payés, livrés à l'insécurité. Sort auquel sont promis tant de ces étudiants qui tentent d'y échapper.

Est-il vraiment raisonnable de laisser la vie économique dépendre de logiques telles que l'on puisse – et même qu'il « faille », selon ses postulats ! – jeter des hommes et des femmes comme de vieilles brosses à dents, afin d'augmenter la productivité, plutôt que de revoir le système qui prône de telles logiques ? Faut-il poursuivre notre retour au XIXe siècle, exiger une forme de société désuète et rétrograde, plutôt que d'adapter le réel aux besoins des vivants ?

Il ne s'agit pas là de rêveries, mais du réveil d'un cauchemar. Réveil dans un monde au sein duquel il serait possible d'en finir avec les fausses économies, les réductions perverses, faites par exemple sur la qualité des études, en comptant sur la brièveté de la jeunesse pour que, chaque année, les nouveaux venus aient à tout recommencer, aussi peu résignés que les précédents mais avec, devant eux, si peu de temps pour défendre les longues années de leur avenir !

Là aussi perce l'urgence et ce qu'elle a de pathétique. Ces jeunes gens, ces jeunes filles qui, le temps de leurs études, ont à se battre pour les défendre, et défendre ainsi leur avenir entier avec si peu de temps pour le faire, savent que cette période de chance leur est mesurée, qu'elle ne se renouvellera pas, et que tout le cours ultérieur de leur vie en dépendra. Combattus eux-mêmes à l'usure, ils ont conscience de ce qu'ils ont à perdre. Tout. Ils savent à quels dangers, à quels rejets les expose un échec, même si les études ne représentent plus la même garantie pour l'avenir.

Au moins la France bénéficie-t-elle non seulement d'une scolarité gratuite, mais aussi d'universités gratuites, d'ailleurs maintenant contestées sur ce point... Cherchez les lobbies ! Cette fois soutenus par certains mandarins ! Entendez leur propagande ! Leur affliction à voir tant de jeunes sacrifiés à un savoir non exclusivement destiné à leur ouvrir les portes des entreprises (lesquelles risquent de leur demeurer fermées de toute façon), à voir traîner dans les arcanes de la connaissance des « gens » qui, décrètent-ils, n'en auront jamais l'usage. Et qui, on le devine, ne devraient selon eux traîner nulle part, nulle part mélanger leurs pas aux pas tranquilles des « élites » favorisées, mais se contenter d'apprendre, en guise de savoir, à se tenir à leur place et à y rester. Afin qu'il suffise ensuite de conditionner ce bétail à suivre le troupeau.

Un système à deux vitesses ou plus : telle est la clé de cette philosophie de l'éducation qui, à partir du secondaire, ne favorise plus qu'un certain nombre d'élèves. Tristesse des lycées professionnels, considérés par beaucoup des enfants qui y sont arbitrairement dirigés comme le signe d'un ravalement social, comme une sentence définitive les condamnant à un destin subalterne, étroit. Et ce n'est pas l'environnement ou les équipements offerts en général par ces lycées, ni le nombre de leurs professeurs, qui contrediront ce jugement. L'école n'étant pas rentable, foin des enseignants, foin de la tradition qui veut qu'à chaque enfant soient données les mêmes chances ! Au moins symboliquement.

Ceux-là se savent déjà classés. Peut-on dire « déclassés » ? À ceux qui protestent que rien n'est plus utile, plus rationnel, plus gratifiant que ces lycées professionnels [1], demandez donc où leurs enfants, et ceux de leurs proches, poursuivent leurs études. Renseignez-vous sur le nombre d'élèves appartenant aux classes fortunées ou même aisées qui sont inscrits dans ces lycées professionnels, dans ces collèges techniques soi-disant si prisés. Vous les découvrirez uniquement fréquentés par des enfants issus de familles peu favorisées. Au point que l'on pourrait s'indigner du fait que ces dernières aient pu accaparer un tel privilège, si apprécié dans leurs discours par ceux qui demeurent à l'écart de ce qu'ils admirent tant et dont ils se hâtent avec abnégation de priver leur descendance, destinée, elle, à des enseignements humanistes ou scientifiques à large vocation, prodigués dans des établissements de pointe !

Et puis, regardez les yeux des enfants qui ont « droit » à ces lycées professionnels, à ces collèges techniques. Leur tristesse, si souvent. Leur regard à la frontière d'une rébellion découverte impossible, du regret et de l'acceptation. D'une certaine renonciation, d'un adieu à une certaine part d'eux-mêmes, d'une défaite déjà, qu'ils

---

1. Ce sont les mêmes qui, dans les années 1970, apôtres de la mode d'alors, prônaient lyriquement, regards en extase, le retour au « travail manuel »... pour les enfants des autres.

pressentent inaugurale. L'humiliation, aussi, d'être séparés de leurs camarades passés, eux, dans les lycées d'enseignement général et dont ils se savent définitivement clivés, tandis qu'il leur est enseigné au moins une chose, et ils le savent : la résignation.

Se résigneront-ils à la résignation ? À cette ségrégation archaïque ? Car, à propos d'archaïsmes, en voilà bien un qui ramène du côté de la comtesse de Ségur, dans ce climat où règne un état de fait, réputé à jamais pétrifié, qui dissocie les « humbles » de l'élite de droit divin. On y retrouve les archaïsmes mêmes dont se targue la « modernité » politique actuelle.

Il ne s'agit pas ici d'approuver, moins encore d'établir une hiérarchie entre les professions, mais, à l'inverse, de constater la déconsidération dans laquelle certaines sont tenues et que démontre la disparité de traitement des différentes filières, au détriment de la filière « professionnelle ». S'il n'existe vraiment pas de hiérarchie entre les professions, comme le clament avec enthousiasme ceux qui veulent en imposer certaines à des enfants auxquels ils refusent l'accès à d'autres, il n'y a pas de raison pour que, quel que puisse être son avenir envisagé, chaque jeune n'ait pas droit à un enseignement aussi complet que celui de tous les autres. Décider d'en écarter certains revient à les avoir déjà étiquetés, à avoir déjà amputé leur avenir de certaines possibilités, à les avoir déclassés dès l'enfance du seul fait d'un manque de ressources de leurs parents. Alors que l'école républicaine est supposée offrir à tous des chances équivalentes, ce qui est sans doute illusoire, mais épargne trop d'empressement à imposer le contraire.

L'arbitraire, ou plutôt l'orientation imprimée à une répartition le plus souvent déterminée sans relation avec l'identité, le désir et les potentialités de chacun de ces enfants, n'est pas admissible. Leur sort en dépend. Si l'on peut deviner quels élèves ont le plus de « chances » d'être dirigés vers les lycées professionnels, on sait surtout lesquels n'y entreront pas, quel que puisse être leur niveau. C'est là un signe d'apartheid précoce, ne dépendant en rien du niveau des enfants, mais de leur extraction. Et c'est là le signe le plus révoltant.

On objectera que, parmi ceux déjà mis de côté, certains nourrissent peut-être une préférence pour le choix qui leur est imposé. Mais, s'ils faisaient partie d'un autre milieu, ce choix ne serait pas accepté par leur famille, et ne leur aurait d'ailleurs pas été proposé. D'autant que le refus de ces familles (qu'un tel choix ne concerne pas) serait sage : le caractère restrictif de l'enseignement professionnel représente un dommage. Il n'est pas même justifié par les débouchés qu'il prétend offrir en dressant les élèves à entrer en masse, tout préparés, dans des entreprises qui ont, de toute façon, de moins en moins besoin d'eux, sous quelque forme que ce soit, et qui réclament au contraire des sujets de haut niveau. Ces enfants, ces adolescents auront été façonnés, on pourrait dire rabotés, en vain, sans doute aussi pour laisser la voie libre et plus d'espace, plus d'enseignants, et l'exclusivité de certaines écoles, de certains examens, d'un certain avenir, aux enfants des milieux plus favorisés.

Certes, des jeunes ou des adultes très diplômés connaissent aussi, de plus en plus souvent, le chômage [1] – ce qui n'est pas sans éveiller des doutes, dans l'ensemble des milieux sociaux, même très privilégiés, sur la validité de la politique mondiale en cours. Cela n'est pas dû à l'enseignement général qu'ils reçoivent, mais à la société fermée, anachronique qui les attend. Ou, plus exactement, qui ne les attend pas.

Loin d'être tenue pour un acte d'une gravité extrême, l'orientation scolaire a lieu infiniment trop tôt. On sait à quel point les capacités, les tendances générales, les goûts véritables qui devraient déterminer la vie des enfants se modifient, se révèlent souvent relativement tard, créant alors de vraies surprises. Toutes leurs chances doivent leur être laissées, leur appartenir. Les

1. On connaît ces cas multiples de jeunes gens – ou d'adultes – diplômés, voire très diplômés, qui n'obtiennent que des tâches subalternes qu'il leur faut accepter pour avoir les moyens de vivre. Et, parallèlement, le haut degré d'études exigé pour accéder à des postes qui ne l'exigent pas et se situent au bas de l'échelle des salaires. Grâce à quoi les candidats non qualifiés n'auront aucune chance d'y accéder (précisément ceux sortis des lycées professionnels). Une politique d'économies ultralibérales sordides, basées sur le délabrement d'une civilisation et de l'avenir promis aux nouvelles générations.

en dépouiller si vite tient de la sottise ou du désir de les voir débarrasser le plancher au plus tôt.

L'enseignement dit humaniste, c'est-à-dire général, est d'une importance cruciale, même et surtout en vue de spécialisations très pointues. Si une partie importante – la fraction pauvre – de la jeunesse ne semble pas apte à y accéder, la responsabilité en incombe à la société ; il n'y a aucune raison réelle et valable pour que les enfants d'un quartier soient génétiquement plus doués que ceux d'autres quartiers ; on peut donc y remédier, et les difficultés rencontrées, la révision de maintes structures à laquelle leur résolution donnerait lieu, seront au contraire une bonne occasion de rétablir un minimum de normes sociales et d'ordre véritable, en s'attaquant, en amont aussi, à divers facteurs qui contribuent aux injustices dont les établissements professionnels sont un symptôme et un symbole.

Ce n'est pas le clivage officieux présidant à l'orientation scolaire, et consacrant si souvent la mise à l'écart de certains groupes, qui peut préparer à la vie ceux qui en ont le plus besoin. Le seul moyen de les armer, de les stimuler et de les protéger est, encore une fois, de leur inculquer toutes les valeurs réelles possibles, et non d'en faire aussitôt des outils bon marché, virtuellement mis dès l'enfance au service d'entreprises... qui leur préféreront des robots.

Préférence qui n'est pas déraisonnable en soi, pas même d'un point de vue éthique. Pourquoi faire accomplir par un homme, une femme, des tâches que des machines peuvent désormais effectuer ? Pourquoi gâcher l'énergie humaine à de tels emplois, plutôt que de lui ouvrir des espaces plus gratifiants ? Les dommages créés par les machines ne leur sont pas imputables, mais proviennent de l'acharnement à laisser des humains en concurrence avec elles, et du fait d'inaugurer sans eux une ère nouvelle tout en les abandonnant parmi les vestiges de l'ancienne. Dans une organisation sociale qui ne correspond plus au contexte actuel, mais qui permet d'autant mieux de maintenir sous le joug, sans lui laisser de recours, une population artificiellement devenue redondante.

Faut-il s'étonner dès lors de voir supprimer, pour certains, cet enseignement général dont les véritables effets sont d'aiguiser l'esprit critique, la prise de conscience, la conscience de soi et, avec elle, celle du droit d'avoir droit au respect ? Ce n'est pas rien d'ouvrir à tous les différentes disciplines qui initient aux potentialités humaines, au possible miracle humain, et de le faire à travers tant de voix disparues mais présentes, celles que l'humanité a si longtemps entendues, assimilées, répercutées ! L'enseignement réel apprend les moyens de trouver dans la vie de quoi la vivre, pas seulement de la « gagner » !

Comment ose-t-on supprimer ce qui donne accès à ces voies en un temps où la formation, la communication, la transmission deviennent à la fois techniquement plus faciles et néanmoins de plus en plus inaccessibles, précaires, privant certains de l'ouverture à une existence davantage imprégnée du sens de la vie ? La seule ouverture offerte à tous – mieux vaudrait dire administrée, mais alors sans limites – est celle que dispense la publicité. Comme disait l'un de ses « décideurs », « la publicité est généreuse, car elle est offerte à tous, sans exclusion [1] ».

Mises à part quelques situations très particulières, limiter le nombre des disciplines et l'importance accordée à chacune nuit à la formation. L'intercommunication, la porosité des champs de connaissance sont essentielles à tout enseignement. L'accès à la capacité de raisonner, de critiquer, l'initiation à l'exercice de la pensée, voilà quel est le véritable domaine, la vocation réelle de l'éducation. Le privilège royal de l'enfance, de l'adolescence, de la jeunesse, c'est de vivre ce temps-là dans ce royaume-là, d'y avoir démocratiquement droit. Et de n'être pas disposé comme un pion censé devenir soit un outil du profit (qui s'en passe si bien), soit bon à jeter.

Quant à moi, je croirai aux vertus enviables de l'enseignement professionnel lorsqu'en feront le siège ceux qui se battent pour faire entrer leurs enfants aux lycées Henri-IV ou Louis-le-Grand, ou à l'École alsacienne. Ou lorsque des ministres y inscriront tout naturellement leurs enfants. Et l'on ne me fera jamais croire que l'ensemble des élèves dirigés vers l'obtention d'un Certificat d'aptitude professionnelle (CAP), vers cet ensei-

1. Maurice Lévy, directeur de Publicis, *LCI*, 1999.

gnement purement « technique », y sont à leur place, ni que cette place doive exister. Il vaudrait bien mieux que cette « filière » disparaisse et qu'un enseignement « technique » soit dispensé à tous, comme l'est par exemple la gymnastique.

Les pépinières des « forces vives de la nation » sont ainsi d'avance réservées aux rejetons des « forces vives » en exercice et à ceux qui n'en sont socialement pas trop distants. Les autres étant déjà destinés à devenir leurs subordonnés. Et même à avoir à se battre pour le devenir ! Pour n'être pas rejetés aussi de ce statut.

À vrai dire, moins un adolescent a de chances matérielles pour lui, plus il lui est nécessaire d'acquérir un espace mental vaste et structuré, d'avoir accès aux régions fascinantes de la pensée, créatrices d'émotions, qui permettent de mieux exister par soi-même et qui aiguisent le sens critique, rendent plus apte à savoir refuser, à se créer une vie qui ne soit pas uniquement tributaire d'instances étrangères à soi. À être armé et à ne pas l'être moins que ceux qui estimeront avoir tout pouvoir sur lui, dont celui de le juger négligeable, superflu, et de lui faire croire qu'il l'est. À être armé afin de refuser une telle situation et d'être en mesure de le faire. On voit l'intérêt de certains à ce qu'il ne le soit pas !

En résumé : l'enseignement à multiples vitesses, non justifié par des raisons spécifiques, est une iniquité majeure, antirépublicaine, et le cynisme hypocrite qui le présente autrement n'a rien à lui envier. Il revient à prévoir pour certains, en raison de leur milieu, une éducation fermée au maximum de possibilités, réduite à la formation d'apprentis que l'on fourguera, main-d'œuvre soldée, subventionnée pour cinq ans, à des entreprises qui s'en débarrasseront, le temps de la subvention passé, souvent sans les avoir le moins du monde formés. Utilisés, seulement. Et combien, dirigés dans cette voie afin d'entrer plus vite dans le « monde du travail », connaîtront précocement, en fait, celui du chômage !

Le partenariat école/entreprise atteint par là aux sommets de la dérive républicaine. Donné, il va de soi, pour vertueux, il crée pour certains, au sein d'une Éducation nationale financée par tous, un espace arbitraire de non-enseignement public général, un ghetto, l'école se chargeant en fait d'entériner l'inégalité sociale, de priver d'une grande partie de cet enseignement des enfants plus pauvres que d'autres, et de conditionner à une vie subalterne ces enfants « moins bien nés », exclus d'un enseignement prévu pour être commun à tous et qui leur était peut-être plus particulièrement destiné, car donné dans les seuls lieux où ils auraient pu avoir accès à ses disciplines. Un bagage, mais surtout l'offre d'une vision, d'une compréhension du monde liées à des valeurs qui ne mettent pas en jeu la notion de rentabilité. Des valeurs qui peuvent conférer à la vie sa valeur.

Des valeurs dangereuses, comme on voit...

Où se trouve le trésor d'un enseignement vraiment laïque, c'est-à-dire dispensé le plus objectivement possible, et non selon un catéchisme nouveau – une idéologie décrétant des hiérarchies inflexibles et prévoyant des vies déjà jouées, celles d'enfants déjà exclus de la plupart des secteurs de la société ?

L'intrusion de l'entreprise dans l'école, incluant celle de l'idéologie ultralibérale et son emprise immédiate sur un lieu laïque et neutre par principe, aurait fait figure, il y a peu, d'impensable régression. Elle apparaît aujourd'hui tout à fait symptomatique de la vogue politique actuelle qui consiste à s'ajuster au plus fort, tout en accentuant la distance qui sépare des autres. Cette intrusion permet de peaufiner le travail de sape d'un régime qui, s'il n'a pas intérêt à tenir à sa disposition du matériel humain, tient beaucoup, en revanche, à le mettre au plus tôt à l'écart, et sans complications.

Et déjà officiellement séparé du bon grain en vue d'être « formé » à la résignation, préparé à se tenir pour subalterne, persuadé dès l'aube de son infériorité. Mais, surtout, conditionné à ne trouver d'autre issue que celle, très limitée, qui lui est laissée. Prêt en conséquence à accepter le salaire, les conditions de travail ou de chômage que l'on voudra bien lui concéder. La voie sera laissée libre aux autres jeunes issus de milieux plus prestigieux.

Qu'y a-t-il de démocratique, de républicain dans cette ségrégation précoce, qui fournit l'économie de marché en matériel humain garanti « prêt à l'emploi »... ou au chômage ?

Ainsi la « modernité » va-t-elle de l'avant, découvrant des principes qui doivent lui sembler neufs, mais qui en rappellent étrangement d'autres : les pauvres doivent dès l'origine être mis et tenus à leur place, vénérer l'emploi, travailler même s'il n'y a pas de travail et, dans ce cas, rester, s'il le faut, aussi pauvres, mais, pour que l'honneur soit sauf, pauvres en travaillant. On conviendra qu'il s'agit là d'idées originales, de progrès considérables ! Un regret, cependant : le principe archaïque d'égalité demeure inscrit au fronton des mairies, et celui de l'égalité des chances persiste à fleurir dans les meilleurs discours.

Priver si brutalement certains enfants de droits que tant d'efforts déployés par tant d'hommes et de femmes au fil de l'Histoire avaient fini par leur obtenir n'est pas seulement une violation de leurs droits garantis par les plus hauts principes de la République, mais nous appauvrit tous.

Ce n'est là qu'un exemple d'une certaine avarice contemporaine, d'une rapacité qui renie les avancées acquises, possibles, encore améliorables, et préside à l'institution d'une société de plus en plus étriquée, au point de lui faire risquer sa propre survie.

De quels espoirs vit et veut faire vivre le club ultralibéral ? De quel avenir tient-il compte, si ce n'est celui de quelques décideurs et rentiers en goguette ?

Qui peut trouver normal qu'en ces temps de chômage, tant de professions (et pas seulement les étudiants, les lycéens) aient à manifester ou à se mettre en grève non pour réclamer des hausses de salaires, mais pour tenter d'obtenir davantage d'effectifs, indispensables à la bonne conduite de leurs tâches, voire, souvent, à la sécurité du public ? On voudrait croire qu'il s'agit là de purs malentendus, de simples étourderies. Comment ? On n'entend parler que de lutte contre le chômage, de priorité à l'emploi, et tant de postes nécessaires sont demeurés vacants ? Une méprise, sans plus. On s'attend à des remerciements : « Mille grâces ! Quelle bonté de nous indiquer ces "gisements" d'emplois si malencontreusement négligés ! Pure inadvertance ! Nous allons y parer ! »

Mais non. Tout en rabrouant gentiment les entrepreneurs qui favorisent la croissance en accroissant le chômage, les responsables politiques s'en retournent à leur distribution de déjà vieux catalogues d'emplois-gadgets ou placebos qui, s'ils parviennent parfois à réduire de façon infime les statistiques, ne font que prêter au chômage un aspect différent, tandis que la pauvreté, elle, demeure, cette fois instituée. Et que se perpétue l'insécurité.

D'où tant d'élans et de capacités « employés » (quand ils le sont !) à faire semblant de servir à quelque chose. Ou à remplacer, très au rabais, quelque professionnel qu'il aurait fallu rémunérer décemment, engager définitivement, et qui demeurera de ce fait au chômage. Combien de stagiaires, par exemple, à peine payés, à des postes qui, récemment encore, correspondaient à des contrats à durée indéterminée, à des salaires normaux, mais qui sont aujourd'hui destinés à des jeunes qui, leur stage terminé, y seront rarement confirmés et se retrouveront souvent dans le vague avant d'aller rejoindre à l'ANPE les professionnels qu'ils auront temporairement remplacés !

Que penser encore des compressions d'effectifs opérées dans la fonction ou le secteur publics avec la complicité d'une large partie de la population que l'on sait si bien diviser dans ce genre de cas ? Est-il vraiment raisonnable, et même normal, de prétendre supprimer (ou même seulement réduire) le chômage, tout en pratiquant simultanément de telles brèches dans l'emploi et dans sa seule forme encore protégée ? Ne serait-il pas plus logique d'éviter d'obstruer ainsi tant d'issues ?

Il serait en tout cas raisonnable de poser, de pouvoir poser ces questions sans susciter des cris d'orfraie sottement démagogiques, ces sempiternelles et vaudevillesques vitupérations contre « les fonctionnaires ». Si ces derniers, très divers, sont ouvertement à la charge de l'État, donc des contribuables, mais pour des tâches en principe fort valables (si elles sont estimées mal remplies, c'est un autre problème, qui peut être réglé), d'autres, dans des secteurs tout différents, sont tranquillement et bien davantage à leur charge, mais non officiellement, et sans rien offrir en retour, sinon des licenciements : depuis les dirigeants bénéficiant de stock-options peu imposables jusqu'à ces entrepreneurs recevant des subventions et autres ristournes pour (ne pas) embaucher, en passant par d'autres profiteurs privés de l'argent public.

Passons sur les fabuleux bénéfices obtenus en Bourse

grâce aux licenciements. Alors que leur charge pèse sur l'État – donc sur les contribuables – qui finance une grande partie des indemnisations de départ, l'intégralité des allocations de chômage, et qui, en cas de délocalisation, sera privé tout aussi bien, cerise sur le gâteau, des futurs impôts de ces prédateurs.

Voilà quelques exemples parmi d'autres de ce dont notre attention est détournée par le biais des accusations bien frêles, souvent sans fondement réel, visant la fonction publique.

Il n'est pas inutile de remarquer que le secteur public est celui où l'on peut réagir, manifester, entrer en grève sans risquer de perdre son poste, danger qui paralyse souvent le secteur privé. On se souvient des grèves de décembre 1995 en France, et de la sorte de gratitude éprouvée par les usagers, pourtant brimés, de voir leur propre contestation exprimée par ceux qui pouvaient encore se le permettre. D'où l'intérêt, pour certains, de réduire ou supprimer cet espace encore livré à la libre protestation.

Mais, surtout, ce secteur public, considéré comme non rentable, car non directement profitable à l'économie privée, est en grande partie convoité par celle-ci, qui s'impatiente d'un tel manque à gagner [1]. L'hostilité évoquée plus haut n'est certainement pas étrangère à

1. Naturellement pas en ce qui concerne les investissements lourds en infrastructures, payés par la collectivité, mais les secteurs juteux ou ceux qui le sont redevenus grâce à un renflouement onéreux par l'État.

cette impatience et la sert en tout cas. Elle donne ses fruits, et l'on voit, leur privatisation à peine obtenue, l'économie privée s'emparer de secteurs selon elle « libérés » pour y supprimer des postes, dégrader le statut des employés, leurs conditions de travail, leurs salaires que sa propagande avait si longtemps contribué à vilipender. Privatisations, néo-privatisations ou pré-privatisations, loin d'améliorer l'usage, la qualité ou l'efficacité des emplois, les suppriment de manière draconienne, au détriment des usagers.

En Angleterre, où les transports ferroviaires ont été privatisés, un déraillement meurtrier comme celui de Paddington, fin 1999, a pu être présenté comme une conséquence de cette politique, même si, malheureusement, de telles catastrophes ont lieu dans des pays où les chemins de fer sont toujours nationalisés. Il a surtout permis de mettre au jour l'hallucinant désordre, les anomalies, les aberrations de tout un réseau naguère normal, qui avait été déréglementé à tous les niveaux, selon des critères désastreux pour la sécurité, mais aussi pour le simple confort auquel avaient eu droit jusqu'alors les usagers.

Toujours cette inquiétude lancinante : faire encore et toujours des économies. S'en tenir à « économiser » au prix d'une décadence évidente. Mais toujours et encore la même interrogation : pourquoi ? dans quel but ? au profit de qui ou de quoi, si ce n'est du seul profit ? Car, encore une fois, la raison n'en est pas une faillite générale !

Économiser sur les dépenses publiques, sur le coût du travail, devient une tradition jugée aussi indispensable que vertueuse. Une fin en soi. Mais, si fin il y a, ce n'est que celle des emplois ainsi éradiqués, de certains droits priés d'aller se faire voir ailleurs, comme la plupart des garanties, et de tout espoir de connaître une vie décente, assurée, protégée, même si elle ne peut l'être par la fortune ou par le rang social.

Les fonds libérés par les économies faites sur des secteurs vitaux seront aussitôt misés dans la spéculation, offrant à un petit nombre des plus-values colossales en un temps record, celui d'opérations auxquelles tout est désormais suspendu, autour desquelles tout s'ordonne.

Mais qu'en est-il aujourd'hui des consommateurs, censés remplir un rôle inamovible, l'un des derniers à nous être impartis : celui, « royal », de clients ? Quels pouvoirs détiennent-ils ? Quelle est leur influence sur l'économie privée ?

Comment l'économie de marché peut-elle s'accorder avec l'expansion spectaculaire de la masse de personnes vivant, même dans les pays riches, autour ou au-dessous du seuil de pauvreté ? Comment peut-elle se permettre l'énorme manque à gagner, la perte de consommateurs qui va s'accroissant du fait du chômage, de la faiblesse de ses indemnisations, des travaux précaires si peu rémunérés, mais aussi de la « modération des salaires[1] » ? Pour son bien, n'aurait-elle pas

1. Nouvelle trouvaille de nos précieuses ridicules. La « modération » en question signale en vérité le gel ou la baisse des salaires,

intérêt à mettre un frein aux licenciements, à se préoccuper de voir l'aide sociale relevée, mais aussi les salaires ? Ne lui faudrait-il pas se libérer de l'inhibition créée par sa peur panique permanente de l'inflation, laquelle ne constitue plus du tout la menace contre laquelle elle se défend, mais lui fait craindre toute propension à des hausses de rémunérations, toute consommation jugée trop vite élargie ?

En vérité, le problème ne se pose plus tout à fait ainsi. Des questions essentielles pour l'économie de marché ne revêtent plus la même importance pour l'économie spéculative qui la domine et s'y substitue chaque jour davantage, happant le monde des entreprises dans un univers virtuel où leur devient permise une plus grande autonomie vis-à-vis non seulement des salariés, mais aussi des consommateurs.

Se priver de ces derniers serait impossible pour l'entreprise si son caractère même n'avait changé, si elle ne dépendait pas à présent des investisseurs autant, sinon plus, que des clients. Si sa valeur ne se distanciait pas toujours plus de sa production, pour relever davantage de sa productivité. Cette valeur ne dépend plus tant de ses actifs réels, de ses négoces traditionnels, des produits qu'elle propose, que de sa capacité à intéresser les

---

mais fait entendre que les patrons sont obligés de réprimer leur impétueuse générosité, qui les pousserait à faire des folies, à verser des pluies d'or sur leurs salariés confus, qui ne pourront qu'approuver la sagesse de cette « modération ».

marchés financiers. Soit de la place qu'elle occupe dans les fantasmes spéculatifs.

Pour elle, il ne s'agit plus tant de persuader des personnes physiques en nombre, afin qu'elles choisissent et achètent des objets concrets ou des services précis ; il s'agit d'attirer le désir abstrait, volatil, des places boursières et des investisseurs, qu'intéresse seule la possibilité de la convertir en produit virtuel.

Nous voici loin du consommateur. Jadis pivot de l'entreprise, du commerce, et donc vecteur du profit, il voyait ses désirs « royaux » faire loi. Aujourd'hui, c'est plutôt lui qui doit s'adapter aux adaptations de ses fournisseurs à leur nouveau destin. Des fournisseurs devenus bien indécelables au sein de multinationales qui les trustent les uns et les autres, avec bien moins de risques pour chacune de voir des ventes leur échapper. Si autrefois, grâce à leur nombre et à leur concurrence, les clients pouvaient stimuler la qualité et la variété des services et produits se disputant leur choix, celui-ci est à présent limité devant l'uniformité de produits proposés sous une multitude jamais égalée de labels différents. Des produits de plus en plus indifférenciés devant lesquels la décision est orientée par la publicité, qui réanime surtout un désir général. Le client, l'usager auront de toute façon de moins en moins d'importance, les multinationales sachant que, le choix du consommateur se portant sur telle marque ou telle autre, le bénéfice leur reviendra.

Si la concurrence a changé de nature et si la domination du consommateur faiblit, nous sommes aujourd'hui devant un phénomène du même ordre, mais autrement plus impressionnant : la compétitivité prend, elle aussi, un nouveau tournant, tandis que le nombre des compétiteurs se réduit à une vitesse grand V. L'irruption d'une déferlante d'OPA, d'OPE, de fusions, une véritable épidémie de rachats de groupes, chacun gigantesque, signalent une nouvelle étape du développement de l'oligarchie ultralibérale.

Les compétiteurs que nous avons vus déjà si liés, regardant tous dans la même direction, deviennent intimes au point de se vouloir fusionnels. Chacun n'a de cesse d'engloutir l'autre. Il ne s'agit plus d'affronter un rival, mais de l'avaler. Peu importe qui l'emporte, le nom du vainqueur est sans intérêt, mais, s'il gagne, il aura renforcé l'oligarchie planétaire qui s'exerce ainsi sur elle-même et la fait avancer vers une ère de monopoles monstrueux.

Un phénomène dont la gravité ne tient pas seulement au fait, déjà si grave, qu'il aboutit chaque fois à des réductions aussi drastiques que prévisibles des coûts, notamment celui du travail, et donc à des licenciements en masse. En voici quelques exemples sous la forme de pronostics parus en décembre 1998 aux États-Unis dans le *New York Times* et le *Financial Times*, relatifs à quelques-uns des plans de licenciements alors en puissance, presque tous très classiquement liés, aujourd'hui, à des rachats ou à des fusions d'entreprises[1] :

---

1. Rapport sur le développement humain (PNUD), *op. cit.*

Deutsche Telekom projette de supprimer 20 000 emplois et en appelle à d'éventuelles fusions ;

Prochaine acquisition de Mobil par Exxon : suppression prévue de 9 000 emplois. D'autres suivront ultérieurement ;

Projet d'achat de Bankers Trust par la Deutsche Bank : suppression de 5 500 emplois ;

Citigroup, qui annonce la suppression de 10 400 emplois, soit 6 % de ses effectifs, le fait sans doute pour la beauté du geste, aucune fusion, aucun achat ne semblant avoir pour l'heure été prévu ;

Plus modestes, Texaco, Conoco, Shell et Chevron, British Petroleum et Amoco, à peine autorisés à fusionner, prévoient 6 000 départs de salariés.

Que ces prévisions se soient ou non réalisées, le nombre des licenciements réels a été dans l'ensemble infiniment plus élevé que ceux mentionnés ; ils sont considérés comme on ne peut plus naturels, surtout en de telles circonstances, et comme répondant le mieux du monde aux noms éloquents de « restructurations », de « rationalisations » censés les caractériser.

Auprès de telles opérations qui font s'amalgamer des groupes de plus en plus géants, si souvent déjà issus eux-mêmes d'opérations similaires, on imagine à quel point le souci de la production paraît trivial, dépassé, et l'on voit que ce ne sont plus tant les clients que se disputent les groupes : ils se disputent les groupes mêmes.

Tous les sacrifices obtenus sur l'autel de la compétitivité vont s'investir dans le financement de ces achats, de ces fusions, qui provoqueront de nouvelles économies de personnel, lesquelles financeront de nouveaux achats, de nouvelles fusions, qui permettront à leur tour de procéder à ces économies qui permettront à leur tour de créer des sociétés mastodontes, et ce, à l'infini.

Ces ensembles monstrueux se révèlent souvent ingérables, alors que les unités qui les composent fonctionnaient fort bien lorsqu'elles ne faisaient pas partie d'un conglomérat hors normes. Ces excès mêmes, greffés sur des situations déjà excessives, risquent de conduire tout le système à sa perte. Ils résultent d'opérations souvent dues à des réactions de moutons de Panurge, familières au cercle restreint des grands décideurs, et n'ont souvent d'autres raisons d'être que des volontés de prépondérance, de gigantisme, de risques pris par des flambeurs ; ils peuvent même relever d'une rivalité personnelle de tel ou tel avec l'un de ses congénères. Dans ce milieu fermé qui, plus qu'aucun autre, n'a d'yeux que pour lui-même, et pour qui l'univers entier fait figure de pâle appendice, l'ego, la simple vanité de certains peuvent les conduire à vouloir à toute force, au sein de cette élite de la toute-puissance, inscrire la leur propre, y jouer un rôle prépondérant. Autant de raisons fort éloignées de tout souci d'efficacité.

Quant au souci des populations qui en dépendent, fi d'une sentimentalité qui est une offense à tout réalisme !

Cependant, outre les économies grandioses qu'elles permettent, ces opérations ont une vertu cardinale aux yeux de la sphère ultralibérale : elles permettent d'accélérer son autonomie. Cette course aux monopoles semble répondre à une utopie inconsciente, celle d'un monopole unique, sans concurrence aucune, sans plus aucun obstacle devant lui.

Utopie, certes, mais dont le fantasme a des répercussions très concrètes. Déjà, les consommateurs paraissent bien lointains. La scène active se vide. Non de présences physiques, mais de rôles – ceux joués jusqu'à présent par des salariés en nombre considérable, par des concurrents commerciaux dépendant des consommateurs – et maintenant de ceux, prestigieux, tenus par ces compétiteurs de haut vol, ces grands décideurs qui ont toujours le mieux répondu à la politique du régime, dont ils se montrent encore les meilleurs alliés en quittant leurs attributions et en fortifiant ainsi le pouvoir oligarchique planétaire.

Hostiles ou non, ces mouvements de fusions et autres rachats ne font pas que bouleverser la vie de centaines de millions d'individus à coups de décisions désinvoltes, de bagarres entre sociétés qui, pour en absorber d'autres, les risquent toutes ; la nouvelle donne des sociétés, de leur distribution, de leurs pouvoirs, de leurs masses financières, ne laisse plus aucun interstice échapper à une puissance de plus en plus condensée, qui réduit jusqu'à ses propres espaces.

Or, de tels bouleversements ont lieu sans avoir à passer par aucun processus démocratique. Ces questions de fond affectent dangereusement des populations qui sont dans leur ensemble les premières visées, sans que leur accord soit même envisagé ; sans que, même en rêve, on songe à les consulter, ni même parfois à les aviser. Seuls les gouvernements peuvent encore, en de rares cas, les interdire, un à la fois, mais sans porter atteinte à la capacité générale d'y procéder en se passant d'un accord général. Sans que soit nulle part prévue une telle atteinte à la liberté, c'est-à-dire aux permissivités du libre-échange, lequel aurait du bon, mais au sein d'un monde dont les populations seraient vraiment libres de pouvoir défendre leur propre liberté.

Ce phénomène nouveau dont l'ampleur et la brutalité accentuent non plus une menace d'exclusion, mais son accomplissement réitéré, toujours définitif, figure une nouvelle étape de l'ultralibéralisme, un autre stade de cette mutation de civilisation, renforçant son régime, visant une toute-puissance avérée, sans que les électeurs ne disposent du moindre rôle, n'aient le moindre mot à dire à propos d'événements d'un poids politique aussi capital.

Ces bouleversements dans la répartition des biens au sommet échappent aussi aux États dont le droit de veto est ici dérisoire, et qui sont tout au plus priés de faciliter cette tendance à la constitution de monopoles centraux, ou même d'un seul monopole rappelant l'emprise absolue prévalant à l'Est au temps de l'Union des Républiques Staliniennes – mais, cette fois, sans la contrepartie d'aucun régime extérieur.

Cette condensation de la puissance permet de régner

à partir d'un club ultralibéral de plus en plus autogène, capable d'exister de par ses seuls éléments, sans recours externes, adonné à ses seuls jeux et enjeux, qui ne débouchent que sur eux-mêmes et larguent dans un vaste *no man's land* le reste de la société.

Néanmoins, son volume même, son expansion, la saturation de la planète à laquelle il s'emploie, toujours plus colonisateur, tout ce qui paraît faire sa force, peut constituer une faille et révéler sur quelle argile il se tient en équilibre.

Une argile peut-être représentée par les grands organismes engendrés par cette puissance économique, sur lesquels elle repose et se repose, et qui se confondent avec sa volonté : entre autres le FMI, l'OCDE, la Banque mondiale, l'OMC, qui n'ont pas (non plus que le Conseil européen à Bruxelles) de fondements démocratiques, leurs membres n'étant pas élus. Pourquoi le seraient-ils ? Ils ne sont pas là pour gérer les affaires du monde, comme il semble, mais celles du monde des affaires qui les recrute, les désigne ou les fait désigner.

Et tout fonctionne parfaitement de la sorte. Ces organismes savent on ne peut mieux transmettre et faire appliquer les diktats du régime ultralibéral aux commandes, dont ils obligent les gouvernements à faire cas. Ils ont implanté ses principes et ses règles dans un monde toujours plus adéquat à ses désirs ; ils ont neutralisé les lois qui y faisaient obstacle ; leurs bavures n'ont d'influence que sur les États et leurs populations. Ils font montre de réels talents de colonisateurs et parviennent à contrôler et à maîtriser la totalité du globe terrestre, en somme à peu de frais.

Les responsables politiques des États, élus : voilà pour la démocratie. Une idéologie dominant ces États et leurs représentants, qui désigne elle-même des représentants chargés de définir, mais surtout de faire appliquer cette idéologie : voilà qui s'en éloigne et va dans le sens d'une dictature.

Quant aux grands organismes internationaux, libres de toute entrave, coupés de l'opinion, exonérés de comptes à rendre aux gouvernements alors que ceux-ci leur en doivent, ils sont omnipotents. Mais au service et tributaires d'un pouvoir hégémonique dont ils sont les meilleurs instruments.

Chargés dans leur ensemble de veiller officiellement à l'équilibre de la répartition des richesses, ils sont en vérité enjoints de veiller à ce qu'elle demeure telle, c'est-à-dire parfaitement déséquilibrée, en sorte que lesdites richesses ne soient pratiquement pas réparties mais se concentrent toujours plus entre les mains d'une caste de plus en plus souveraine et condensée. Et de manipuler les nations telles des marionnettes, d'entretenir la disparité de leurs revenus avec ceux des pays riches, mais, plus scandaleux encore, avec certaines fortunes privées. D'exploiter, sous couvert d'humanité, la pauvreté de certains pays, de les réduire à merci comme autant d'individus pressés par les difficultés, avec la même indifférence à leurs réalités.

Détenteur des fonds qui pourraient les sauver, il n'est

pas difficile au FMI, par exemple, d'exiger et d'obtenir de pays structurellement pauvres ou en crise (ou les deux) qu'ils cèdent à la conditionnalité des prêts en échange desquels le FMI exercera son droit de regard sur leur philosophie politique, et, par là, sur leur politique intérieure et extérieure, qu'il finira par leur dicter.

Privatisations, dérégulations, suppression des subventions dans les secteurs sociaux : tout y passe. Abdication. Alignement strict de tous sur un modèle unique. Pour tous les peuples, un seul catéchisme. Pour tous, les mêmes méthodes, la même potion magique, réduisant tous les paramètres de la société à la seule rentabilité – mais vouée à celle qui profite aux créanciers. Austérité. Oubli de toute ambition, de tout penchant spécifique, de toute production qui n'aille pas dans le sens voulu, lequel est rarement celui de l'intérêt du pays en cause. Sacrifices. Économies implacables, les mêmes, toujours, sur le coût du travail, les structures indispensables, la culture, la santé, les acquis sociaux et autres futilités. Renoncement à l'indépendance de la politique intérieure, cela va sans dire. Droit à toutes les ingérences du FMI dans des pays devenus, au mieux, des protectorats.

Réseaux tout-puissants, aveugles à ce qui ne ressortit pas à l'idéologie ultralibérale, à ce qui ne consiste pas à mettre à son service tout ce qu'ils ont en charge, c'est-à-dire à peu près tout. Non sans protestations de foi dans l'action humanitaire, non sans allusions à leurs fonctions de bons bergers.

Il faut avoir vu ce documentaire[1] dans lequel Michel Camdessus, longtemps directeur général du FMI, se déploie dans ses œuvres, parfait dans ce répertoire, encore que son hilarité perpétuelle, sa nervosité laborieusement joviale, souvent sans échos, trahissent sinon le doute, du moins un malaise, une absence d'assurance véritable ou de conviction, de connivence avec son rôle, peut-être de certitude quant à son bien-fondé.

Michel Camdessus visite ses pauvres. Tour des popotes planétaires. On trinque. Ambiance de fausse allégresse, de banquet triste – bons mots, anxiété ; on sent que la nourriture, pour certains, ne passe pas. Avec Michel Camdessus, les quémandeurs se heurtent d'abord à un mur guilleret, puis flirtent sans gaieté avec un chat amoureux des transes de la souris ; enfin, ils marchandent avec un homme d'une complète indifférence à ce qui n'est pas en parfaite conformité avec les dogmes du profit privé, qu'il est là pour servir.

Gorges nouées des autorités en vis-à-vis. Que soient en jeu la situation inhérente à leur pays, leur carrière politique, ou encore l'importance de la somme qu'ils pourront subtiliser à la solidarité internationale ou à leurs compatriotes, du moment qu'ils cèdent à ses exigences, peu importe au directeur général. Peu lui chaut que les subventions aillent à la Russie, dans les poches de ses interlocuteurs ou dans celles des mafias, s'il obtient en échange la promesse d'une plus grande sou-

1. *Arte*, 14 septembre 1999.

mission du peuple russe aux diktats du FMI. Camdessus est un missionnaire : ce qu'il quête, c'est la conversion des pays, sinon à l'idéologie qu'il propage, du moins aux pratiques qu'elle recommande. Et c'est ce qu'il obtient. Si, en Russie, les graves restrictions promises doivent être mises en route sans même les subventions qui devaient les accompagner, l'essentiel est là : la notion de rentabilité, de *realpolitik* sera prise en compte, sauvée, elle aura prévalu – au niveau des âmes, en tout cas. Qui plus est, même dans le grand bordel qui s'ensuivra forcément, la nouvelle nomenklatura russe veillera (en principe : la déception n'est jamais tout à fait évitable) à ce qu'elle semble respectée, anxieuse qu'elle est d'empocher à nouveau. L'important est de gagner du terrain, de coloniser, fût-ce au prix de nouveaux dégâts venant s'ajouter à ceux déjà causés dans tant de régions du monde.

Mais M. Camdessus rit toujours et s'affaire.

Même bonne humeur au Honduras, au Nicaragua, devant les ruines, les ravages dus à la violence exceptionnelle d'un cyclone récent qui a fait de nombreuses victimes et démantèle l'économie. Avec le président, Michel Camdessus reprend avec gourmandise – c'est son petit poker – l'une de ces vieilles conversations dont il suit, l'œil allumé, les méandres familiers. Le président supplie ; lui se dérobe, mutin. C'est à la bonne franquette qu'il prend seul ses décisions et parcourt ces pays en marquis de Carabas. Le président jure de ne jamais plus rien mendier. « Jusqu'au prochain passage d'un cyclone », badine M. Camdessus, folâtre, face aux désastres du dernier.

Retour de tournée. Le directeur général du FMI retrouve ses collaborateurs. Il leur rapporte un cadeau, un souvenir de voyage, et savoure d'avance son succès : ils vont s'amuser, annonce-t-il, n'en pas croire leurs yeux. Ils ne sont pas déçus. Michel Camdessus déplie un journal, le brandit devant eux, cette fois franchement hilare. Les autres n'ont rien à lui envier, c'est tout juste s'ils ne se tapent pas sur les cuisses. C'est la franche rigolade. En manchette, le journal titre : « Michel Camdessus, ambassadeur de l'humanisme ». Ils doivent en rire encore.

Mais les élans de M. Camdessus et de ses pairs ne sont pas gratuits. Le coût des organismes internationaux, si spontanément et « librement » mis sur pied pour mener le monde, devrait terrifier ces maniaques d'économies. Comment les contribuables, indignés par les « prédateurs » de la fonction publique, ne s'en inquiètent-ils pas ?

Voilà des gens dociles, mis au pouvoir par une idéologie triomphante qui les emploie à mener une politique très précise, jamais remise en question, afin de rendre les nations aussi dociles qu'eux. Des gens qui demeurent à la charge de contribuables qui n'ont pas été consultés, auxquels ils ne devront pas de comptes, mais qui leur en devront – toutes les politiques de tous les pays, qu'ils soient débiteurs ou créanciers, dépendront de leurs options générales auxquelles ils ne pourront que se plier. Des pays, en un sens, eux aussi sous protectorat.

Voilà des gens sans mandat, ne représentant qu'eux-mêmes, qui n'ont de responsabilités vis-à-vis de personne, à qui l'on donne à gérer le monde et ceux qui l'habitent (non consultés) selon les recettes rigides d'un régime qui ne s'est jamais annoncé, mais qui s'ancre mieux ainsi, au détriment des peuples. Des organismes qui forment un ensemble détenant tous les pouvoirs majeurs, chargés de conduire l'économie globale, mais qui ne peuvent que la mutiler en fonction de consignes monomaniaques qu'aucun individu, aucun groupe de personnes physiques ne leur a données, mais seulement l'air du temps et l'enchaînement de logiques afférant à la toute-puissance du profit privé.

Voilà des gens qui manient les fonds les plus considérables, toujours prélevés sur les mêmes contribuables, décidant d'initiatives qui détermineront toutes les autres, et qui iront toutes dans un sens unique. Tandis que les gouvernements légaux, démocratiques, en sont réduits à soutenir ces initiatives, tenues pour des faits accomplis, puisque émanant de ceux qui gèrent le budget de ces nations.

Des initiatives prises par ces organismes au cours de séances aussi permanentes qu'intimes, à l'ordre du jour desquelles ne figure que cette gestion des nations au gré de jeux de hasard en expansion auxquels s'adonnent avec profit les puissances de l'économie privée. Celles-ci n'ont pas même à trop se préoccuper de la marche d'un monde organisé une fois pour toutes – leur semble-t-il – pour fonctionner selon leurs principes, qui font ainsi autorité sur toutes les politiques, intérieures comme extérieures, de toutes les nations, régies en fin de compte à leur seul bénéfice.

Les gouvernements, dès lors simples intermédiaires, plus ou moins en accord mais tous engagés en première ligne, devront s'ajuster à des mesures d'une blême cruauté, qu'ils n'auront pas vraiment prises, à des bévues désastreuses qu'ils devront faire avaler, à une inégalable inefficacité relative aux buts annoncés – mais absolument efficace au regard des desseins qui leur sont sous-jacents, ceux d'une idéologie et de sa politique souterraine, qui mènent, elles, le jeu.

D'où, sans doute, le choix fait par la gauche de revendiquer comme « moderne » ce qui, pour elle, est manifestement indéfendable, mais qu'elle se croit obligée d'intégrer.

D'où ce monde où M. Camdessus promène son rire nerveux, au cours de banquets tristes, et représente cette puissance réputée invincible, imposée à tous, qu'ils soient d'accord ou non – à M. Camdessus aussi.

Mais c'est un monde qui ne doit plus accepter d'être ainsi géré par de telles instances hyperpolitisées, irresponsables et répondant d'une idéologie unique. Les transformer de fond en comble, les convertir à la démocratie ou, sinon, les supprimer, est tout à fait possible et peut être exigé. Elles sont les piliers d'une puissance, mais cette puissance, c'est sa faiblesse, ne semble pas remarquer ou juger de la moindre importance l'existence d'une vaste opinion sur le point de se découvrir nombreuse. Malgré cette étrange dictature qui ne s'expose pas, mais dont l'oppression se fait plus lourde, cette opinion mondialisée a conscience de vivre dans des structures plus ou moins démocratiques où le nombre peut encore se faire entendre, s'il en a la volonté. Et le peut encore, aujourd'hui, dans le calme. Elle connaît aussi la fragilité de beaucoup de colosses, pour l'avoir rencontrée dans l'Histoire.

Cette opinion se sait apte à s'opposer à ce système. Non pas dans l'idée vague et intimidante de s'attaquer à la « mondialisation », terme lui-même si vague, dénué de sens précis, égaré parmi trop de significations disparates, différentes pour chacun et, pour chacun, différentes selon les heures et le sujet traité [1]. Non pas dans l'idée de combattre un univers fantasmagorique, habité par des divinités ou autres jeteurs de sorts aux pouvoirs magiques ; mais dans celle de résister à un régime politique défini, ultralibéral, avec les moyens de ce monde.

Il serait temps – c'est à la fois son désir et sa vocation

---

1. Un exemple : on s'est parfois moqué des manifestants participant à Seattle, à la contestation contre le sommet de l'OMC, et qui, disait-on, luttaient contre la mondialisation tout en se servant d'Internet. Or ces manifestants ne luttent pas (même s'ils le croient) contre la « mondialisation ». Encore moins contre les technologies, mais *contre l'ultralibéralisme*, dont ne dépendent *pas* les technologies. On voit bien ici le parti que peut tirer l'ultralibéralisme de ces confusions de sens. Et la prolifération de ceux-ci.

– que cette opinion, si mûre, si réfléchie, si savante quant aux questions qui l'intéressent, ait confiance en son pouvoir, en ses capacités, et sorte de l'effacement que lui inspire le sentiment (erroné) d'être isolée.

Une absence de réaction passe facilement pour une adhésion, pour de l'indifférence ou de la peur. Comment le système actuel ne se tiendrait-il pas pour approuvé, comment cette politique planétaire ne se tiendrait-elle pas pour légitimée par ce silence ? Comment sa « cohérence » ne s'imposerait-elle pas alors qu'il est encore si rare que toute question ne soit pas abordée, analysée ou discutée à partir de son seul point de vue, de l'acceptation de ses postulats et priorités, du mode pseudo-économique qu'elle a institué ?

La classe politique, ses responsables, sans cesse en butte à la toute-puissante pression ultralibérale, à ses réseaux enchevêtrés, à sa politique du fait accompli, ont besoin, pour lui résister – et certains le souhaitent –, d'être appuyés par la population, voire incités par elle, ne serait-ce que pour démontrer à leurs congénères qu'ils ne sont pas, eux non plus, isolés. Si l'opinion réfractaire au système ultralibéral se résigne à n'être pas représentée par ses élus, même par ceux dont ce serait la vocation, elle continuera de n'avoir pour toute alternative qu'un vote – on ne peut plus approximatif et sans illusion – en faveur des positions antérieures, déjà abandonnées, de certains candidats, ou bien l'abstention. Et nous continuerons d'être ignorés par des mandataires à qui aura peut-être manqué notre appui pour prendre un autre tournant, tenter d'amorcer une autre politique. Tandis que nos silences continueront de passer pour un acquiescement tacite au *statu quo* ainsi renforcé.

Il serait temps, pour tous les élus, de prendre position face à cette étrange dictature, indéniable puisque, malgré le jeu démocratique, elle ne permet aux gouvernements que de suivre la même ligne, tous, de quelque bord et de quelque pays qu'ils soient. C'est bien le signe qu'ils ressortissent *tous* à une même logique, laquelle ménage d'abord les intérêts du profit en ne répartissant pas les richesses, en réduisant toutes les dépenses qui ne vont pas à lui – pas du tout du fait de la « mondialisation », mais en vertu d'une idéologie à laquelle ils sont assujettis non par un dictateur, ni par un corps de doctrine, mais par une docilité, la toute-puissance de l'économie privée.

La politique, l'économie ne peuvent être abordées aujourd'hui qu'une fois mis à l'abri ces intérêts-là ; une fois considérées comme sacrées, intouchables, les structures qui les permettent et les protègent. C'est à partir de là seulement que l'on commence à administrer ce qui ne peut plus l'être que dans le sens imposé.

L'opinion a cependant un rôle immense à jouer grâce au cadre démocratique au sein duquel se déploie ce régime. Les parlementaires, les gouvernants devraient être conduits à savoir qu'ils ne pourront céder à son hégémonie – souvent sous prétexte que d'autres, ailleurs, en font autant ou plus – sans que réagisse leur électorat ; mais aussi que, dans le cas contraire, ils pourront compter sur le soutien d'une très large fraction de l'opinion, jusqu'ici abandonnée et qui les avait, en quelque sorte, elle-même abandonnés [1].

Un exemple : on a vu à quelles déconfitures électorales immédiates le manifeste Blair-Schroeder [2] a conduit ce duo lorsque les deux chefs de gouvernement « socialistes » ont exposé leurs options véritables, convaincus d'initier et de rallier des foules enthousiastes à leur « troisième voie », celle d'un libéralisme dur, exalté par la gauche. Aucune illusion ne pouvait survivre à cette profession de foi affichant un zèle sans pareil au service exclusif de l'économie privée, de ses priorités, de son allergie aux mesures sociales. Zèle que l'on aurait déjà pu remarquer à l'œuvre, mais que ne parvenait plus à dissimuler une étiquette politique, et qui ne permettait plus de fermer les yeux sur les faits afin de pouvoir voter encore pour le symbole.

Le chancelier et le Premier ministre avaient pris leurs désirs pour des réalités. Certains d'être aimés pour eux-mêmes, non pour ce dont ils s'étaient réclamés – et

---

1. Il n'est que de remarquer le succès immédiat obtenu par l'organisation ATTAC (Association pour une taxation des transactions financières pour l'aide aux citoyens) qui défend, entre autres, la taxe Tobin : le prélèvement d'un pourcentage infime (0,25 %) aux fins de « pénaliser la spéculation [...], un impôt prélevé sur les transactions de change à but financier ». *In* François Chesnais, *Tobin or not Tobin*, L'esprit frappeur, 1998.

2. Respectivement Premier ministre travailliste de Grande-Bretagne et chancelier social-démocrate allemand.

qu'ils trahissaient à présent si ouvertement –, sans doute se sont-ils laissé flouer par leur propre propagande, incapables de percevoir une opinion qui, loin d'être calquée sur la leur, d'être sensible aux archaïsmes de leur « modernité », les avaient portés au pouvoir comme les moins engagés dans l'idéologie à laquelle leur manifeste faisait bruyamment allégeance. Une idéologie supposée suivie par l'opinion générale. On a vu qu'au moins cette fois-là, en Allemagne comme en Grande-Bretagne, il n'en a rien été.

Manque de pédagogie, déplorent en ces cas-là les croisés du profit, toujours éberlués de ne pas voir le monde entier béat de satisfaction devant la leur. Mais, ici, la réaction à la « pédagogie » fut d'indiquer les limites de ce que l'on acceptait d'entendre. Si les deux chefs de gouvernement s'étaient bien fait comprendre, l'opinion aussi. Quelques mois plus tard, les discours et l'action du chancelier ne s'alignaient plus sur la « troisième voie », mais allaient plutôt dans l'autre sens avec une certaine ostentation et lui permettaient de remonter la pente.

Le rôle de l'opinion est capital, il représente une instance de vie sous un régime mortifère. Une résistance planétaire à l'horreur économique se manifeste déjà. Par deux fois récemment, il lui a suffi de se déclarer pour aussitôt l'emporter. Les accords de l'AMI [1], préparés au sein de l'OCDE durant quatre ans par près de

1. Accord multilatéral sur l'investissement.

trente gouvernements de pays puissants, n'ont pas été signés, après que l'opinion en a été informée et s'y est opposée, quelques mois seulement avant mai 1998, date à laquelle la signature de ces accords était prévue et devait passer comme une lettre à la poste. Alors que la rédaction de ce livre s'achève, le second exemple vient d'avoir lieu, fin 1999 : c'est celui des « journées de Seattle », aux États-Unis, lorsqu'une mobilisation internationale a réussi sans obstacle majeur à empêcher la réunion ministérielle de l'OMC[1]. Ainsi, par deux fois, et sur des questions essentielles, face à deux des plus grandes organisations économiques internationales, l'OMC et l'OCDE, la résistance l'a emporté et, chaque fois, sans violence, qui mieux est, sans difficulté.

Qui l'eût parié, il y a peu ?

Les accords de l'AMI ? L'enjeu était vital : ils introduisaient ce qui manque à cette étrange dictature pour dominer de plein droit, et stipulaient par exemple que tout investisseur en pays étranger était autorisé à attaquer en justice les États impliqués et à en obtenir des compensations considérables, sous forme d'amendes, s'il s'estimait le moins du monde lésé quant aux bénéfices qu'il avait escomptés, par toute mesure prise entretemps par cet État, qu'il s'agisse de mesures sociales, de dépenses publiques, de décisions fiscales ou autres. Les États devenaient légalement et officiellement les otages de l'économie privée – et de la spéculation. Ce

1. Organisation mondiale du commerce.

n'est là qu'un exemple du péril gravissime représenté par l'AMI.

La révélation de ces accords, de leur contenu, la mise à plat tranquille et publique de ce qui avait été manigancé des années durant non pas en secret, mais tout comme, a suffi à les faire enterrer – pour l'heure en tout cas. Et à focaliser désormais l'opinion, en toute connaissance de cause, sur leur possible résurgence, mais aussi sur les éventuelles nouvelles manigances des instances internationales. Ici la lutte menée par le pot de terre avait pourtant toutes chances d'être perdue, si l'on s'en tenait au rapport de forces présenté comme une évidence.

L'effet de surprise a pu jouer, mais surtout la tare inhérente à la puissance économique privée : sa morgue. Sa certitude que son autorité ne saurait connaître de faille et qu'elle suffit à intimider, prévient sa lucidité. Narcissique, elle est sans doute fort peu capable de penser, d'agir, si ce n'est dans le cadre de ses obsessions, qu'elle tient pour fondatrices. En fait, elle manque en soi d'intelligence, pusiqu'elle consiste dans une inintelligence, une répudiation méthodique de la réalité [1]. D'où, une fois encore, l'incomparable avantage sur elle que représente la perception lucide des

1. Il est à noter qu'à ce manque de lucidité, d'intelligence de la vie, échappent, en tant qu'individus, un grand nombre de ceux qui sont liés de près à ce régime, ou même en sont responsables, mais qui, y étant engagés, le croient immuable.

événements et de leurs enchaînements, et le décryptage des propagandes qui leur sont liées.

Les diktats imaginés à l'OCDE n'ayant pas connu de suite, il semblait évident qu'une autre organisation tenterait de les faire passer ; l'OMC semblait toute désignée. Mais les effets de projecteurs allaient jouer désormais, prêts à révéler les tractations menées à l'écart de l'opinion. À Seattle, la déconfiture des officiels de l'OMC est venue de l'éclairage déjà donné par le refus des accords de l'AMI. Leur exposition au grand jour, conséquence de ce premier acte, et une exigence de mise à plat furent, comme c'est toujours le cas, d'une inégalable efficacité. Ainsi a-t-on pu découvrir le plus publiquement du monde que l'OMC n'avait... aucune raison d'exister ; sinon pour discuter, dans l'intimité du club ultralibéral, des meilleurs moyens pour l'économie spéculative de faire encore plus de profit avec encore moins d'obstacles. Hors de tels propos corporatistes entre familiers du sujet, on n'avait plus rien à se dire, ni rien à dire à personne.

Les délégués supposés se préoccuper de diriger le monde autrement qu'en le pressurant pour des intérêts particuliers allaient être observés, surveillés, contestés. Ils allaient devoir avoir au moins l'air d'agir, de s'intéresser à ce dont ils étaient officiellement chargés, d'en avoir étudié à fond les dossiers, d'avoir réfléchi avec réalisme à des questions intéressant ce peuple de fantômes qu'avaient toujours été pour eux l'ensemble des vivants – lesquels se trouvaient là, dehors, soudain incarnés par des manifestants très au fait, eux, de ce qui était en jeu, très motivés, certes fort dissemblables et disparates, mais cohérents.

Déroute ! Les participants au sommet, ayant à « performer » en public sous le regard des médias, ne semblaient plus trop savoir ce qu'ils faisaient là, de quoi il pouvait bien être question, sur quoi ils pourraient s'entendre – ou même se diviser. Sortis du petit train-train du profit, plus rien ! Inanité. Silence, regards vagues. Un consensus ? Mais à propos de quoi ? Nostalgie du nid si tranquille, si fermé, interdit à la plèbe, recroquevillé sur ses codes primaires ; de ces lieux abrités d'où l'on pouvait ronronner des diktats sous forme d'ordres simplissimes, toujours de la même espèce et rigoureusement respectés. Des ordres ravageurs, prédateurs, coercitifs, visant des masses d'individus, par là-bas, en nombre énorme, certes, mais étrangers au club, dont on n'avait pas eu le sentiment d'avoir à se préoccuper. Avait-il jamais été seulement imaginable qu'ils songent un jour à s'immiscer dans l'intimité de ces scènes d'intérieur ?

Confrontés à l'opinion, mais, surtout, observés par elle, les officiels de l'OMC voyaient révéler, même à leurs propres yeux, le vide de leur politique quand elle n'était pas celle du fait accompli. Ce ne sont pas des antagonismes externes ou internes qui ont fait capoter si piteusement le sommet de Seattle, c'est un simple regard jeté sur cette vacuité.

C'est bien point par point, en ciblant chaque fois un événement précis, à dimension humaine, qu'il devient possible de déstabiliser une construction aussi impressionnante, réputée inébranlable, qui ne s'appuie cependant pas sur des fondements solides ; plutôt sur des valeurs virtuelles, plus difficiles à affronter que d'autres si l'on accepte de les combattre sur leur terrain, mais qui s'effondrent ou tout au moins oscillent, confrontées à des personnes bien vivantes, sur le terrain de la réalité, dans le monde tangible qui leur est contemporain.

Est-on jamais contemporain de son temps ? L'Histoire se dessine à travers le chaos des morts et des vivants. Un chaos plein de sens, toujours à vif, poignant. Les générations qui s'y succèdent ne sont pas constituées de blocs successifs ; les vies de ceux et celles qui les composent ne sont pas contemporaines tout du long, mais naissent, disparaissent et naissent et meurent encore dans le désordre, en vrac et dans la confusion, depuis le début des temps. La loi se forme, se transmet à travers ce magma. Il faut saluer une aventure si difficile, improbable et passionnée, envoûtante en dépit de ses déchirements – et saluer ceux qui la traversent, leur persévérance dans le souci de la durée, malgré la brièveté du sort imparti à chacun. Admirer aussi la capacité de tous à insérer, chacun, son histoire singulière, sa propre biographie au sein de cette fugacité sans se laisser accabler, paralyser, en un mot affoler par l'urgence.

Où en sommes-nous de cette Histoire ? Est-il possible qu'au fur et à mesure qu'elle avance, et avec elle nos potentialités, elle se rétrécisse pour se résumer aux jeux imbéciles d'un système prédateur, à ses forfaits si banalisés, si propagés qu'ils font partie du paysage et se renforcent en toute tranquillité ? Seule surnagerait une cupidité hystérique, sans objectifs réels, capable de tout ravager sous l'égide de quelques-uns ?

Mais où seraient les autres, leur nombre ? Que deviendrait la part humaine sensible à la gratuité, capable de s'inventer elle-même, de sécréter ses propres inventeurs de miracles plastiques, musicaux, picturaux, littéraires et autres, mais surtout la part apte à en éprouver de la jouissance ? Apte à vivre en une vie plusieurs existences ?

Nous avons été, nous sommes les témoins, les contemporains – à la fois acteurs et public trop passif – d'une mutation de civilisation très évidemment détournée, et nous nous réveillons face à un monde pétrifié dans un montage factice, présenté comme éternel. Il est temps de faire savoir que nous n'en sommes pas dupes. Il sera d'ailleurs de moins en moins possible de l'être. Les méthodes ultralibérales s'exposent avec arrogance, au point de devenir prévisibles, et révèlent à quel point elles sont liées à une stratégie unique. Il ne faut pas que cette visibilité et, plus encore, la redondance de ces méthodes aient, par l'absurde, un effet de propagande et conduisent à s'y habituer comme à de banales routines, à un malheur institué auxquels il serait toujours plus vain de s'opposer, et raisonnable de s'ajuster.

Ce serait ignorer le danger sans limites qu'autoriserait une telle résignation. La pente est savonnée. Il n'est pas malaisé de glisser du *workfare*, si facilement admis, à l'esclavage, à l'exclusion dans des lieux prévus pour regrouper ceux qui encombrent. La même philosophie, et de la sélection entre inutiles et rentables, et de la tolérance à l'intolérable, peut conduire à se débarrasser de ceux dont il est prétendu qu'ils ne font plus vraiment partie de l'espèce ou qu'ils sont nuisibles. Les génocides et la résignation qui les entourent ont pour point de départ de telles conclusions.

La société subsiste, cependant – violentée, blessée, mutilée parfois, mais vivace. Désorientée d'avoir à faire le deuil de l'emploi, de cette forme de travail qui, certes, l'aliénait, mais dont l'évanouissement la nie et fait le jeu de ses adversaires – deuil d'une civilisation qui part sans adieux tandis que prend sa place un régime qui dérègle jusqu'à ses traces, occulte jusqu'à sa disparition, assigne la plus grande part de la société à vivre en accord avec le temps de l'emploi dont, simultanément, il détruit les structures et les lois.

Que signifie, pour les jeunes hommes, les jeunes filles, leur destin dans une telle société ? Chacun sait – ils le savent – que, pour beaucoup d'entre eux, il n'y a guère d'avenir prévu, en particulier pour ceux relégués dans des quartiers-ghettos et qui se voient considérés comme sans valeur, inadéquats à la société, bons à dilapider dans le vide les élans, le dynamisme de cet âge et des années qui suivront. Malgré la violence qui en résulte, ils en viennent souvent à éprouver une profonde nostalgie de la banalité d'autrefois, qu'ils n'ont pas connue, qui leur paraît presque magique : cette vie salariée, la seule autorisée, dont ils sont rejetés avec un grand nombre de jeunes de tous milieux, encore que ce sort les vise davantage, plus totalement, plus automatiquement, comme autant de punitions venant s'ajouter à toutes celles qui composent déjà leur vie.

Étrangement, ceux qui, à l'autre pôle, tirent profit de la rareté de l'emploi et de sa dégradation, ont eux aussi du mal à renoncer à ce temps, à ses rythmes, à ce qui formait la trame de chaque vie, fût-elle oisive, dans une même société. Combien, parmi les décideurs, les responsables, éprouvent plus précisément la nostalgie d'une ère sécurisante où l'on savait à chaque instant où chacun se trouvait, ce que chacun faisait, casé dans une usine, un bureau ou ailleurs, mais encadré, surveillé, discipliné sans frais. Occupé. À sa place. Coincé. Et, en prime, exploité.

Quant à ceux, la majorité, qui subissent la fin d'une civilisation si souvent cruelle à leur endroit, ils voient en fait s'y substituer à grand-peine une caricature moribonde et vivent toujours, eux aussi, mais bien davantage encore, accrochés aux traces de son absence, celle d'une histoire qui est la leur mais dont les bases mêmes ont disparu. Ils tentent de poursuivre la vie d'alors et ce qu'elle signifiait, sans que d'autres significations soient venues prendre la place des valeurs en allées.

C'est qu'ici la nostalgie vient surtout de ce que, outre des moyens de vivre, même insuffisants, l'emploi dispensait des repères dont la perte est difficile à assumer et sans lesquels le monde paraît à beaucoup d'une vacuité sans bornes, où plus rien ne se rapporte à soi, où l'on doit faire face à la nudité et à la crudité de l'existence, sans plus d'écran face aux grandes questions à jamais sans réponse. Face à la mort, en vérité, et sans plus les distractions permises par une vie agréée, remplie, partagée, qui permettait d'user inconsciemment de cette vieille formule : « Je ne peux pas mourir, je suis trop occupé. » Vie orientée, tracée, imitée d'un modèle dans lequel la pratique supplantait l'interrogation. Déni de solitude où le sentiment d'appartenir à un ensemble tenait chaud, rassurait, donnait du sens à un sort partagé pour le meilleur et pour le pire. Plus souvent pour le pire, certes, mais au sein duquel il allait de soi de lutter ensemble – le grand nombre ligué contre le privilège auquel il était alors indispensable.

Monde de l'emploi où la vie se déroule, étroitement liée à une chronologie, à un calendrier, à des horaires. Où le temps n'est pas livré à une éternité étrangère à soi, dont on n'a « rien à faire » et où l'on est incongru. Découpage du temps : dimanches, week-ends, jours fériés, vacances qui ponctuent l'année, repères collectifs qui ne laissent guère de temps morts, qui prédisent un avenir uniforme et certain. Lieux de travail où l'on est attendu, où l'on a « sa place », avec une raison d'y être, certifiée. Avec, surtout, cette réputation de « dignité » si essentielle, que seul un emploi peut conférer selon les propagandes !

Mais de quelle dignité s'agit-il ? De celle qui rend possible d'être licencié selon le bon plaisir de la « bulle financière » et d'avoir à se soumettre en permanence afin de ne pas augmenter les « chances » de l'être, licencié ?

De la « dignité » d'avoir à se forger une mentalité subalterne, à tenir l'autorité patronale pour un droit divin, la hiérarchie pour un dogme, sa propre subordination pour un fait avéré ? De celle de se trouver réduit à un rôle de gamin, cible d'une suspicion systématique et permanente, qui peut obliger à prouver en pointant que l'on n'est pas un menteur, que l'on n'a pas triché sur des minutes de présence ? Et le prouver à qui ? Quelles sont les justifications de ces prérogatives de l'employeur sur ceux qu'il emploie, à qui il ne doit pas, lui, de comptes ? Quelle est la raison de cet ascendant, d'une autorité aussi absolue, sinon la dépendance de ceux qui les subissent ?

S'agit-il de la « dignité » de voir délimitées et, par là, réduites au minimum les minutes accordées pour se rendre aux toilettes, s'alimenter, éventuellement se doucher, se changer, souffler ? Il suffit, pour être édifié, de se reporter aux discussions serrées, dans le cadre de l'application des « trente-cinq heures », pour savoir si les minutes consacrées au changement de tenue seront ou non décomptées dans les nouveaux horaires. Est-il d'une « dignité » indispensable d'avoir à supporter que soit décomptée chaque seconde non directement utilisée pour le profit de l'entreprise ? De voir chacun de ses gestes surveillé, soumis à l'autorité, dépendre souvent d'une autorisation ?

Ou bien encore la « dignité » consiste-t-elle à avoir droit au harcèlement, aux réprimandes, à être puni pour des peccadilles ? À avoir le droit de perdre son statut, sa liberté d'adulte – d'être en fait placé sous tutelle, contrôlé, soupçonné, châtié sans raisons morales ni légales, mais au gré de règles arbitraires édictées en fonction d'un profit sans commune mesure avec le salaire ? À moins qu'il ne s'agisse du droit d'avoir à répondre des incompétences d'entrepreneurs, d'être licencié afin de payer leurs erreurs, dont eux-mêmes sont en général récompensés ou absous ?

S'agit-il de la « dignité » du travail précaire, du travail à temps partiel subi, des stages ou contrats à durée déterminée dont la rétribution ne permet pas de vivre et qui, le plus souvent, n'ont d'autre utilité que de faire baisser les statistiques du chômage, ou de substituer à un travail réel, normalement rémunéré, un emploi sous-payé, dépourvu des protections et garanties prévues ?

« Dignité », encore, d'être « jeté » d'une entreprise sans autre raison que de lui permettre d'afficher votre malheur en Bourse et d'en tirer de très vastes surcroîts de profit ? Car l'appauvrissement des chômeurs, leur pauvreté, si souvent leur misère, leurs vies gâchées, représentent alors une valeur énorme, très précisément chiffrée, dont ils ne recevront, il va sans dire, aucune part, mais dont bénéficieront – juste récompense ! – les responsables de leurs licenciements.

Est-ce bien cela qui représente la dignité conférée par l'emploi ? Est-ce pour cela qu'il faut le glorifier ? Non, ce n'est pas l'emploi qui est prioritaire, mais les personnes supposées y répondre au prix de telles difficultés. Or, elles n'ont pas pour vocation première d'être « employées » à ce qui les détruit ; l'important n'est pas de « mettre les gens au travail » ; l'important, ce sont les gens. Et leur libre arbitre.

Si le chômage doit être remplacé par la pauvreté, si le nombre d'emplois qualifie seul une société alors que ces mêmes emplois peuvent signifier la pauvreté, l'humiliation, le mépris, s'ils doivent être considérés comme autant de bénédictions qu'on a bien voulu accorder et dont il faut se satisfaire à tout prix, alors cette société, loin d'être remise sur pied, sera bel et bien, de fond en comble, perverse et détériorée.

L'« emploi des jeunes », s'il se réduit à une errance de petits boulots en petits boulots, et n'ouvre pas franchement sur l'avenir, sur des chances réelles de voir se dérouler une vie en phase avec une société elle-même en phase avec la vie ; s'il n'a pour signification que de permettre d'échapper aux statistiques, de « ne pas ne pas » avoir d'emploi dans l'immédiat, mais sans garantie aucune pour les jours qui suivent, sans possibilité de faire ses preuves, d'être autonome, de pouvoir prendre en charge sa vie d'adulte, alors cet emploi-là n'a aucun sens, si ce n'est de légitimer une déliquescence générale.

Chacun commence à comprendre que le salut n'est pas dans une course après un modèle révolu qui maintient dans la soumission, dans un passé sans fin promis comme avenir, au prix d'un présent sacrifié, mais, au contraire, dans un présent assumé, capable de rejeter une politique qui célèbre la Déclaration des droits de l'homme, mais l'estime nuisible à la modernité.

Résister, c'est d'abord refuser. L'urgence réside aujourd'hui dans ce refus qui n'a rien de négatif, qui est un acte indispensable, vital. La priorité des priorités : refuser l'horreur économique, sortir du piège et, à partir de là, aller de l'avant.

L'urgence n'est pas dans la résolution immédiate de problèmes faussés, mais dans le fait de poser immédiatement les vrais problèmes et de s'opposer à ce qui les suscite, sans avoir pour autant déjà décidé de ce qui succédera à ce que l'on écarte. La « solution » ne réside pas dans la proposition d'un autre modèle, d'un kit de remplacement, dans la promesse d'une société toute neuve, toute propre, garantie clés en main ; on sait aujourd'hui ce que valent les modèles...

Elle ne réside pas non plus dans une recette, un mode d'emploi certifiant la réussite de cette opposition, mais dans les risques pris à refuser l'inadmissible. Exiger des promesses avant de résister, c'est résister à l'idée même de résistance et faire le jeu des pouvoirs installés.

Nous connaissons les mille et une solutions proposées chaque jour, chaque semaine, chaque mois, avec les résultats que l'on sait. Et celles qui répondent à des problèmes fabriqués ou faussés en fonction de la réponse qui leur sera dictée.

Ce ne sont pas les réponses aux questions suggérées ou imposées par le système à propos du système, qui sont à découvrir sans retard, c'est au contraire le piège qu'elles représentent ; les postulats et diktats à partir desquels elles sont formulées, en légitimant d'avance ce qui est controversé, auront déjà fait figure de réponses.

Toute résistance passe d'abord par le repérage et le rejet de ce cercle vicieux. Vu de l'intérieur, rien n'est possible hors de ses points de vue monomaniaques, obsessionnels, que diffusent ses propagandes.

L'une de ces dernières tente de nous conditionner à rejeter la révélation de l'horreur plutôt que l'horreur révélée. De nous convaincre d'exiger, pour toute situation dénoncée, une solution de remplacement prête à l'usage, ou du moins des remèdes et des recettes garantis. Nous sommes censés être saisis d'indignation face à tout constat, toute critique qui se permettraient de mettre à plat avec justesse et minutie une réalité non fabulée, différente de celle, lénifiante, qui nous est ressassée afin de ne pas nous faire de peine en nous racontant la peine que l'on nous fait. Circonstance aggravante si une telle mise à plat n'est pas assortie des consolations, panacées et promesses fallacieuses dont nous sommes supposés, à tort, ne pas pouvoir nous passer.

Autant de ruses qui réclament soit le remplacement immédiat du modèle dénoncé par un autre tout aussi impérieusement imposé ; soit des palliatifs incompatibles avec l'envergure et la nature du mal, mais donnés pour suffisants ; soit encore les longs délais voulus par la réflexion et l'indispensable accord démocratique autour de toute proposition. L'effet de la propagande étant, sous couvert d'une prétendue impatience, de retarder, voire de remettre aux calendes grecques ne serait-ce que l'amorce d'une réaction réelle au danger de barbarie.

Cette propagande table sur l'élan naturel, mais puéril et périlleux, qui nous porterait à tomber dans les bras de ceux dont les solutions permettent de mettre l'inquiétude de côté, et le problème avec ! Comme si nous étions incapables de supporter un intervalle de temps au cours duquel il faut porter et subir le poids d'une question douloureuse sans la croire déjà résolue, mais aussi prendre parti sans avoir d'avance la garantie de l'emporter. Propagande qui table sur le refus individuel de s'investir, de s'accepter comme responsable de ce que l'on désire et de ce que l'on rejette, et sur l'exigence de tout connaître de l'avenir qui succédera à l'horreur, avant de consentir à la refuser.

Or, face à l'inadmissible, il ne s'agit pas d'avoir déjà trouvé toutes les stratégies susceptibles d'en venir à bout, moins encore de dicter un avenir précis, agréé par tous. La première action possible, encore une fois, réside dans le refus. Et cela n'implique pas de partir à l'aventure, de rejeter cavalièrement ce qui existe sans rien proposer d'autre. La proposition existe : elle consiste à refuser l'inadmissible. Celui du « monde qu'il y a ». Il s'agit d'observer alentour et de comprendre où nous en sommes, où nous pourrions être conduits, à quel degré et avec quelle hâte l'emportent aujourd'hui les dérégulations de toutes lois et les aberrations légitimées.

Lorsque l'incendie couve ou se déclare, va-t-on prévoir les réparations, dessiner les plans d'une autre maison, avant d'éteindre le feu ?

Il ne s'agit pas de tirer des plans sur la comète. Ni d'improviser des projets, car ils se doivent d'être nombreux, démocratiquement proposés par des tendances diverses, longuement discutés entre « sensibilités » différentes, ouverts à la controverse. Il s'agit là d'un travail lent, nullement à court terme.

Or, c'est sans délai qu'il s'agit de refuser la toute-puissance d'un régime planétaire unique, sans contre-pouvoirs, renforcé chaque jour par ses prédations, ses coups de force plus ou moins feutrés de la veille, et qui se nourrit de ses propres succès. Allé trop loin déjà, il risque, s'il se poursuit, de nous mener au pire, auquel il nous conditionne en banalisant ce qui y conduit.

On ne le répétera jamais assez : accepter que des personnes humaines soient tenues pour superflues, et qu'elles en viennent elles-mêmes à se considérer comme embarrassantes, c'est laisser les prémisses du pire s'installer. Il n'est pas ridicule d'affirmer que tous les totalitarismes ont pour base ce déni de respect ; c'est lui qui ouvre la voie à tous les fascismes ; c'est par là qu'ils s'infiltrent.

Partout et de tout temps ont vécu des dictateurs en puissance, qui ne se sont jamais révélés ou qui n'ont pas conquis le pouvoir, ne s'en sont guère approchés. L'un des facteurs qui ont permis, mais à un nombre infime d'entre eux, de se structurer et de surgir, soutenus financièrement, de prendre le pouvoir et de durer (jamais très longtemps), c'est un certain climat d'indifférence machinale, d'acquiescements tacites, et l'impression partagée par beaucoup, qui souvent déchanteront, de n'être pas concernés. Peut-être aussi l'aspiration générale à une solution immédiate, déléguée.

Les foules peuvent devenir hystériques une fois le fait accompli, mais ce n'est pas la conviction préalable ou plus tardive de certains qui permet au totalitarisme de s'installer, c'est la non-conviction de ceux qui pourraient et l'identifier et le refuser.

S'opposer virtuellement aux génocides ne suffit pas. Ils n'adviennent pas impunément : un terrain préparé leur est nécessaire ; c'est en amont qu'il faut leur résister.

Laisser mépriser, bafouer qui que ce soit officiellement, ou même officieusement, administrativement, selon certains codes sous-entendus, c'est admettre déjà ce qui peut y conduire.

Laisser toucher un ongle, un cheveu de quiconque, c'est déjà consentir au génocide.

Mais c'est aussi un prélude au pire que d'estimer sans importance le droit, non de faire périr, mais de laisser dépérir dans un abandon institué des millions et des millions d'êtres vivant au-dessous du seuil de pauvreté.

À ceux qui sont épargnés, il manque d'imaginer ce que cela peut signifier d'exister dans le corps de ceux qui subissent et ne font que subir, sans autre perspective que de subir encore, et non parce qu'ils l'acceptent, mais parce que c'est accepté. Il leur manque aussi de savoir intimement que chaque unité qui vient augmenter le nombre des chômeurs, mais aussi des pauvres dans les statistiques, a l'épaisseur d'une personne. Que les êtres représentés par ces chiffres ne sont pas foncièrement « des pauvres », « des affamés », « des sans-abri », « des victimes » ; que ce n'est pas leur fonction de l'être, pas plus que celle de personne. Mais qu'ils se vivent chacun comme quelqu'un, ce qui est peut-être le plus difficile.

Nul ne peut être véritablement exclu, mais l'idée rassure ; elle aide à faire oublier la persistance de celui qui demeure là, avec son monde à soi, ce monde dont une sorte de délire social peut seul prétendre l'avoir rejeté... sur place ! C'est le recours de nombre de ceux qui laissent advenir ces apartheids – fût-ce sans les désirer, et plutôt portés à la compassion – que cette illusion selon laquelle le banni se trouverait en quelque sorte désincarné, immunisé contre le mal qui lui est fait dans un monde auquel il n'appartiendrait plus, et dont les désordres lui seraient étrangers.

Il existe toujours de bonnes raisons, vertueuses, rationnelles, d'être féroce. Que de gens très doux ont été, partout, à toutes les époques, certains de la légitimité de l'horreur !

« Vous ne pouvez tout de même *pas* penser que... », disent-ils ou ont-ils dit, amènes, et vous ramenant d'office au bercail, refusent de vous croire passible de damnation. « Vous ne pouvez tout de même *pas*... » – alors que si, vous le pouvez très bien, et vous vous apprêtez même à faire l'effort de revendiquer cette potentialité ! « Vous ne pouvez tout de même *pas* penser qu'il faudrait supporter la présence de *tous* les immigrés ? » Le ton est moins celui d'une question que d'une injonction encore indulgente, d'une incrédulité qui vous laisse une chance – mais la dernière – non de faire part de votre point de vue et de l'évaluer, mais de renier vos égarements éventuels. Il s'agit surtout de vous faire entendre qu'il n'y a plus rien à discuter, que la question est réglée. Que « le monde qu'il y a » s'en occupe.

Il y a des phrases, des interdits, des actes infiniment plus violents, des atrocités, mais cette phrase dérive d'une autosatisfaction si placide qu'elle fixe cette horreur.

« Vous ne pensez tout de même *pas*... » Combien l'ont prononcé, installés dans un confortable aplomb, se rengorgeant, affables et impérieux du haut de leur connivence avec la Vérité, et, chaque fois, non seulement convaincus de n'être pas dans l'erreur, mais certains de voir leur opinion, en phase avec les pouvoirs et la *vox populi*, régner pour les siècles des siècles.

Majoritaires et si puissants, ils ont été certains, aux États-Unis, que l'on ne pouvait *pas* penser que les Noirs avaient droit aux mêmes droits que les Blancs, que ce déni de leurs droits ne faisait pas partie de l'ordre naturel, qu'il n'était pas une pure manifestation d'humanité réaliste à propos de laquelle il n'était *pas* possible de penser que... Certains l'ont tout de même pensé, qui ont aboli l'esclavage...

... Mais non la ségrégation ! « Vous ne pouvez tout de même *pas* penser que... – a-t-on dû poursuivre – que des enfants de nègres pourraient partager les écoles des Blancs, que les Noirs pourraient... » Grèves, marches, boycotts, manifestations, des « Blancs » rejoignant les « Noirs » prouvaient que l'on pouvait « penser que... ». « Je fais un rêve », a dit quelqu'un, et cela semblait bien relever de l'ordre du rêve que de vouloir restaurer la réalité perçue par Martin Luther King, avec de plus en plus d'autres, parmi lesquels souvent des Blancs. Or, cette réalité fait loi aujourd'hui. Elle a droit de cité [1]. Un droit acquis sans violence contre l'arrogance des plus forts, viscéralement sûrs de leur bon droit et détenant tous les pouvoirs, une force qui semblait ne jamais pou-

1. Même si cette réalité ne se déploie pas encore comme il serait possible : la misère dont il est question plus haut est encore, pour beaucoup, celle de ces minorités ; mais c'est la misère elle-même, encore plus absurde aux États-Unis, qu'il faut éradiquer.

voir même être contestée par une minorité depuis si longtemps traditionnellement écrasée par la puissance et le nombre.

L'abolition de l'apartheid en Afrique du Sud éclaire la fin d'un XXe siècle souvent si obscur. Victoire récente, puisque Nelson Mandela ne fut relevé d'une condamnation à perpétuité qu'en 1990, après avoir déjà passé dix-huit ans en prison. La même année, il obtenait la suppression de la ségrégation. Trois ans plus tard, des élections démocratiques et multiraciales faisaient de lui un chef d'État, celui de son pays, mais aussi le président de ses compatriotes blancs qui, si longtemps, les avaient tenus et traités, lui et les siens, à peine en sous-hommes, et qui font à présent légalement partie du même groupe humain.

Combien de fois, à propos de l'apartheid contesté aussi par des Blancs, ces mêmes mots durent être prononcés : « Vous ne pouvez tout de même *pas* penser que... » Mais si, on peut toujours penser ! Et savoir que, si rien n'est jamais ni gagné ni perdu d'avance, l'inadmissible a toutes les chances d'être éradiqué, mais il ne le sera pas sans avoir été d'abord refusé avec beaucoup de conviction et un peu de confiance.

L'inadmissible ne commence pas, et de loin, avec le génocide, qui n'en est que la conséquence. C'est une excuse odieuse, celle invoquée par les collaborateurs du nazisme lorsqu'ils ont cru s'absoudre en déclarant n'avoir rien su de la « solution finale ». Ainsi, ils ont estimé normal d'avoir trouvé normal que des hommes, des femmes, des vieillards et des enfants aient à porter l'étoile jaune, qu'ils soient insultés par la nation, brutalisés, jetés en vrac dans des camions, des autobus, des wagons, enfermés dans des camps, qu'ils soient raflés, expulsés, déportés. Normal d'avoir trouvé cela banal, une chose parmi d'autres dont il n'y avait lieu de commencer à s'indigner qu'à partir du moment où ils seraient tués, et à condition qu'ils le soient en grand nombre.

Il n'est pas question, bien entendu, de comparer ici la période actuelle avec ce temps-là. Mais il s'agit de mesurer à quel point l'aveuglement au sort des autres peut mener loin, tout comme les prétextes que l'on se donne pour classer bien vite le pire dans les non-événements. Le pire n'étant d'ailleurs pas toujours la mort, mais la vie massacrée dans les vivants.

Il s'agit de se souvenir comment, face aux dogmes, à l'arrogance, aux moyens de persuasion de la puissance en place, de ses servants et de ses suiveurs, face à leur certitude d'être au pouvoir pour l'éternité, d'avoir converti la planète en un monument, face aux dictatures, toute forme de résistance a toujours paru relever d'un état de déraison, de démence, doublé d'une hérésie à la fois naïve et criminelle, inutile. Et combien il est essentiel de se donner toujours le droit de « penser que... ». En démocratie comme en dictature. L'apport de la démocratie, des droits de l'homme, est capital, mais n'a pas empêché le colonialisme d'être officiellement approuvé comme un droit évident, faisant partie intégrante d'une vision politique générale. Il n'empêche pas les tentative actuelles de coloniser la planète tout entière.

Nous ne serons jamais assez vigilants. Il n'y a pas de limites à ce qui peut advenir à partir de l'absolution que se donnent les belles âmes, commettant sur certains ce qu'elles n'oseraient sur d'autres, s'octroyant le droit d'estimer inférieure une certaine part de l'humanité. En l'absence d'éthique, il n'y a pas de limites. Ni de limites à partir de l'instant où l'on accepte de refuser un seul de ses droits à une seule personne. Ni tant que sévira, sous le terme emprunté de « mondialisation », cette dictature ultralibérale qui donne priorité au profit sur l'ensemble humain.

Cet ouvrage a été composé par
PARIS PHOTOCOMPOSITION
75017 Paris

Impression réalisée sur CAMERON par
BRODARD ET TAUPIN
La Flèche

pour le compte des Éditions Fayard
en février 2000

Imprimé en France
Dépôt légal : février 2000
N° d'impression : 634
ISBN : 2-213-60271-9
35-57-0471-01/9